Gallagher Girls

Auch Spione brauchen Glück

Für Donna Bray,
das Gallagher Girl, mit dem alles begann

ALLY CARTER

Auch Spione brauchen Glück

Aus dem Amerikanischen
von Gerda Bean

Planet Girl

Kapitel Eins

»Es geht weiter.« Der Mann neben mir sprach in das Mikrofon in seinem Ärmel. Ich wusste, dass die Worte nicht für mich bestimmt waren.

Die Luft im August war heiß und stickig und roch nach Meer und den Abgasen der Busse. Die Straßen waren meilenweit verstopft. Wo ich auch hinsah, alles war rot, weiß und blau. Egal, in welche Richtung ich mich drehte – überall spürte ich die Augen der Profis, die in die Gegend starrten, beobachteten, jedes Wort aufnahmen und jeden Blick im Umkreis von zwölf Meilen analysierten.

Ein Teil von mir wollte sich von den großen breitschultrigen Männern in dunklen Anzügen losreißen, die an mir vorbeiliefen. Ein anderer Teil wollte die Bombenspürhunde bewundern, die in zwanzig Meter Entfernung Kisten beschnüffelten. Aber vor allem wollte ich lügen, als mich ein Mann mit Klemmbrett und einem Stöpsel im Ohr nach meinem Namen fragte.

Schließlich habe ich viel Zeit damit verbracht, zu lernen, wie man im Handumdrehen eine Legende erfindet und perfekt zurechtgebastelte Tarngeschichten in Situationen wie dieser herunterbetet, weshalb es schwieriger war, als ich gedacht hatte, »Cammie. Cammie Morgan« zu sagen.

Es war schon ein sehr komisches Gefühl, zu warten, bis er die Namen auf seinem Klemmbrett überflogen hatte und meinte: »Sie können rein.«

Als ob ich ein normales sechzehnjähriges Mädchen wäre.

Als ob ich unmöglich eine Gefahr sein könnte.

Als ob ich nicht auf eine Schule für Spione ginge.

Während ich die Hotellobby durchquerte, musste ich unwillkürlich an die erste Lektion meines Lehrers für *Geheimoperationen* denken: *Dinge bemerken*.

Lampen leuchteten und Kameras blitzten in allen Winkeln. Ein riesiges Netz voll roter, weißer und blauer Luftballons schlängelte sich durch den höhlenartigen Raum wie eine patriotische Python. Oben im Zwischengeschoss sang die Delegation aus Texas von gelben Rosen, während eine Frau mit einem großen Schaumstoffhut in Pfirsichform an mir vorbeirauschte.

Ich schaute mir die Leute an. Alte Frauen und junge Mädchen. Ehemänner und Ehefrauen. Studenten und Senioren. Als ich mich das letzte Mal in so einer Menschenmenge bewegt hatte, war es eine andere Jahreszeit und eine andere Stadt gewesen. Vielleicht lag es an der kühlen Luft des klimatisierten Hotels oder an der Erinnerung an einen eisigen Tag in Washington – ich hatte Gänsehaut und kämpfte mit einer heftigen Attacke von Déjà-vu, während ich mich umsah und den Namen aussprach, den ich seit Wochen nicht mehr ausgesprochen hatte: »Zach«.

Dann zwinkerte ich und fragte mich, ob etwas in mir ständig befürchten würde, dass er mir auf den Fersen war.

»Hier entlang«, sagte der Mann neben mir, aber wir blieben nicht am Ende der Menschenschlange stehen, die sich vor der Marmortheke der Rezeption hin und her wand. Wir verlangsamten nicht einmal unsere Schritte, als wir an zwei Fahrstühlen vorübergingen, und stattdessen in einen schmalen Gang einbogen, der von der grellen Beleuchtung und der hohen Decke der Lobby meilenweit entfernt zu sein schien. Statt des weichen Teppichbodens hatten wir bröckelnde Linoleumfliesen unter den Füßen, bis wir endlich vor einem Fahrstuhl standen, den Hotelgäste ganz bestimmt nie zu Gesicht bekamen.

»Du magst doch Pfauen?«, wollte der Mann vom Geheimdienst wissen, während wir darauf warteten, dass sich die Tür öffnete.

»Wie bitte?«, fragte ich, denn obwohl ich mich noch nie in einem Luxushotel aufgehalten hatte, war ich mir ziemlich sicher, dass sich auf der Penthouse-Ebene keine exotischen Vögel befanden.

»Pfau«, wiederholte der Agent, als wir den Service-Aufzug betraten, der uns nonstop ins oberste Stockwerk beförderte. »Wir benutzen Codenamen, weißt du«, erklärte er, als ob ich ein ganz normales sechzehnjähriges Mädchen wäre. »Wenn wir über Schutzpersonen sprechen. Du und *Pfau* – ihr seid also … Freundinnen?«, fragte er, und wieder wurde mir klar, dass er mich nicht ansah, wie ein gut ausgebildeter, gut bewaffneter Sicherheitsprofi eine mögliche Gefahr ansieht (weil ich nämlich über gut ausgebildete und gut bewaffnete Sicherheitsprofis bestens Bescheid weiß). Nein, er sah mich an, als ob ich nur eine Schülerin einer Highschool für versnobte, reiche Mädchen wäre.

Wenn ihr das lest, ist euch wahrscheinlich schon bekannt,

dass es auf dieser Welt zweierlei Menschen gibt – diejenigen, die wissen, was wirklich hinter den Mauern der Gallagher Akademie für außergewöhnliche junge Frauen geschieht, und diejenigen, die es nicht wissen. Die Art, wie der Agent sich überlegte, wie meine etwas altmodischen Klamotten zum Ruf meiner Schule, versnobt zu sein, passten, sagte mir, dass er auf jeden Fall zur zweiten Kategorie gehörte – dass er annahm, wir seien alle reich und verwöhnt, und dass er keine Ahnung hatte, was es *wirklich* hieß, ein Gallagher Girl zu sein.

Das war, *bevor* ich das Geschrei hörte.

Als die Fahrstuhltür zur Seite glitt, kreischte es hinter der Doppeltür am Ende des Flurs: »Ich bring jemanden um!«

Danach war ich hundertprozentig sicher, dass der Mann neben mir die Wahrheit über unsere Schwesternschaft nicht kannte. Weil er nämlich seine Waffe *nicht* zog. Er zuckte auch nicht zusammen, als ein zweiter Geheimagent die Doppeltür öffnete und ihm zuflüsterte: »Der Pfau ist sauer.«

Stattdessen ging er auf das schreiende Mädchen zu – obwohl sie ein Gallagher Girl war.

Obwohl sie Macey McHenry hieß.

Ich war noch nie in Boston gewesen. Ich hatte noch nie einen Geheimdienstler als Begleiter gehabt. Und ich war noch nie eine Prominente (oder die Freundin/Mitbewohnerin/der Gast eines Promis) auf einem nationalen politischen Kongress gewesen. Aber als ich die höchstwahrscheinlich zweitbeste Suite des Hotels betrat, fügte ich meiner Liste noch ein weiteres »erstes Mal« hinzu: Ich hatte Macey McHenry noch nie so wütend gesehen.

»Also wirklich, Macey, ich finde den Artikel ausgesprochen

süß.« Cynthia McHenrys Ton war kühl und beherrscht und das genaue Gegenteil von dem ihrer Tochter. »Er ist der einzige Sohn eines zukünftigen Präsidenten … und du bist die einzige Tochter eines zukünftigen Vizepräsidenten. Wenn die Leute etwas über eine mögliche Hochzeit im Weißen Haus lesen wollen, die in acht Jahren stattfinden könnte, sehe ich keinen Grund, weshalb ich sie daran hindern sollte. Ich verstehe wirklich nicht, warum du dich so aufführen musst!«

In diesem Moment dachte ich: *Wenn Mrs McHenry findet, dass Macey sich »aufführt«, dann sollte man sie besser mit den meisten meiner Klasse nie alleine lassen.*

»Falls dieser Typ …«

»*Dieser Typ*«, schaltete sich ihre Mutter ein, »ist der Sohn von Gouverneur Winters –«

»… versuchen sollte, mit mir zu flirten«, fuhr Macey fort, aber Mrs McHenry übertönte sie: »Und falls wir in Ohio zwei Prozent mehr Stimmen bekommen, wenn du mit diesem Jungen erscheinst, dann *erscheinst* du mit diesem Jungen!«

»Prozente …« Macey seufzte genervt. »Du weißt, ich hab mit Mathe nichts am Hut.«

Ich hab schon mit eigenen Augen gesehen, wie Macey McHenry ohne Taschenrechner lineare Algebra-Aufgaben löste (allerdings erst, nachdem sie das System dank Liz, unserer Mitbewohnerin, gemeistert hatte), aber das Mädchen, das vor mir stand, war nicht die Macey, die ich aus der Schule kannte. Sie war auch nicht das Mädchen, das auf dem Bildschirm erschien, das in den Nachrichtensendungen lächelte und winkte und mit ihrem Vater Händchen hielt. Stattdessen war sie die *andere* Art von Gallagher Girl – die Art, die der Agent erwartet hatte: die versnobte, verwöhnte Art, die Art, die vor fast einem

Jahr aus der Limousine ihrer Eltern gekrochen war und unsere Schule mit Kampfstiefeln und einem Brillanten im Nasenflügel betreten hatte.

»Dies war heute Morgen, als Senator James McHenry mit seiner Familie hier in Boston ankam, um sich mit Gouverneur Winters zu treffen und die Nominierung als Kandidat zum Vizepräsidenten offiziell anzunehmen«, berichtete der Reporter. Aber ich bezweifle, dass Macey oder ihre Mutter zuhörten, als sie sich gegenseitig mit Blicken durchbohrten.

»Du wirst es tun, Macey«, sagte ihre Mutter. »Du wirst –«

Dann räusperte sich mein Begleiter und Mrs McHenry drehte sich um. Ich erwartete einen Redeschwall wie am Telefon, nachdem Macey mich angerufen hatte, um mich einzuladen, aber sie schwenkte nur eine Hand in meine Richtung und sagte: »Deine kleine Freundin ist da.«

Etwas am Ton ihrer Mutter reizte Macey, die tief Luft holte. Ich war froh, dass außer mir keiner zu bemerken schien, wie sich die Fäuste meiner Mitbewohnerin noch fester zusammenballten, bevor sie sich um die eigene Achse drehte und giftig verkündete: »Wir gehen spazieren!«

»Vergiss die Probe nicht!«, rief ihre Mutter ihr nach, aber Macey zog mich schon durch die Doppeltür mit sich.

Zum letzten Mal sah ich den Blick des Agenten, der zu begreifen versuchte, was ich mit dem Mädchen, das mich abschleppte, gemein haben könnte. Im Fernsehen erklärte jemand: »Cynthia McHenry ist eine bekannte Geschäftsfrau und Wohltäterin. Das Ehepaar hat eine Tochter, Macey, eine Schülerin der Gallagher Akademie für außergewöhnliche junge Frauen in Roseville, Virginia.«

Unsere Schule.

Landesweites Fernsehen.

Tausend Gedanken jagten durch meinen Kopf, bevor Macey die Tür hinter uns zuknallte, als ob sie meine Sorgen wegsperren wollte. Sie lächelte verschmitzt, und zum ersten Mal an diesem Tag erkannte ich meine Freundin in dem Mädchen, das vor mir stand. »So – und wie gefällt dir meine Tarnidentität?«

Kapitel Zwei

Spione haben Tarnungen für jede Gelegenheit: Decknamen und gefälschte Pässe, allen möglichen Kram in den Taschen und falsche Ausweise. Ein Topagent kann im Handumdrehen ein anderer werden (und manchmal sind tatsächlich umgedrehte Hände im Spiel), aber ich hatte selten jemanden gesehen, der so gut getarnt war wie Macey McHenry in diesem Augenblick.

»Der Pfau zieht los«, wisperte einer der Agenten in seine Manschette, während ich Macey durch das vorübergehende Hauptquartier der Winters und McHenrys folgte, an Reihen von Laptops und schreienden Praktikanten vorbei, die dunkle Anzüge mit Wahlkampf-Ansteckern trugen und aussahen, als ob sie seit der Vorwahl im Staat New Hampshire keine Nacht mehr gut geschlafen hätten. Und tatsächlich hörte ich einen Typen sagen: »Seit New Hampshire habe ich keine Nacht mehr gut geschlafen.«

Maceys schwarze Haare hingegen glänzten wie immer und ihre blauen Augen waren vollkommen klar. »Mann, Chamäleon, hast du eine Ahnung, wie schwer es ist, dich zu finden?« Sie ging weiter und schien überhaupt nicht zu merken, dass sie wie eine Prinzessin lebte und im Raum lauter Untertanen waren, die dafür sorgten, dass ihr Vater seinen Platz auf dem Thron einnahm. »Echt – ich hab's in der Schule probiert, aber hast du schon mal was aus Mrs Buckingham rausgekriegt?« Meine Mitbewohnerin quasselte seelenruhig weiter, als ob ihr Gesicht nicht im selben Moment auf jedem Fernsehschirm Amerikas erschien. »Jedenfalls hab ich dann den Geheimdienst gefragt und –«

»Warte!«, unterbrach ich sie. »Der Geheimdienst hat dir die Telefonnummer meiner Großeltern gegeben?«

»Also, ich hab den Geheimdienst nach deiner Nummer gefragt«, gab Macey zu, »aber am Ende hab ich sie von einer *geheimeren* Quelle bekommen.«

Ich senkte meine Stimme und fragte: »Von der CIA?«

»Liz«, erwiderte sie flüsternd, und ich musste unwillkürlich lächeln, als ich an unsere kleinste Schrägstrich klügste Mitbewohnerin dachte. »Und – war der Sommer schön?«, fragte Macey, als wir die Kommandozentrale verließen und einen anderen Flur entlanggingen.

»Ja«, antwortete ich fast atemlos. Nach zwei Monaten auf der Ranch meiner Großeltern in Nebraska war ich zwar immer noch fit, aber das Leben verlief dort eher gemütlich, und so fand ich es anstrengend, mit Macey Schritt zu halten. »Es war schön, aber …«

Ich dachte an unsere Mitschülerinnen, die sich in den Schulferien immer in den entferntesten Winkeln der Erde verteilten. Ich dachte an meine Mutter, die mich am ersten Tag der Sommerferien ins Flugzeug gesetzt und mir nicht eine einzige Postkarte geschickt hatte. Und dann dachte ich noch an zwei Jungs: einen, den ich seit Monaten nicht gesehen hatte, und einen, den ich überall zu sehen glaubte, aber höchstwahrscheinlich nie mehr treffen würde.

»Okay«, murmelte ich schließlich. »Mein Sommer war okay.«

Macey kannte mich inzwischen ziemlich gut, also lächelte sie nur und sagte: »Meiner auch.«

Als wir den Tunnel betraten, der unter der Straße zwischen dem Kongresszentrum und dem Hotel verlief, waren unsere Schritte auf dem Teppichboden kaum zu hören.

Leibwächter flankierten die Türen, und ich hörte einen in seinen Ärmel zischen: »Der Pfau erscheint.«

»Darf ich dich auch Pfau nennen?«, fragte ich grinsend.

»Kommt drauf an, ob du dich sicher fühlen willst, wenn du nachts schläfst ...«, fing Macey an. Dann gingen zwei ältere Frauen mit den größten Sonnenblumen vorbei, die ich je gesehen hatte, und Macey strahlte sie an – *echt!* – und meinte: »Oh, die Delegation aus Kansas sieht aber festlich aus!«

Ihre Miene hatte sich blitzartig verändert. Als ob ihr Tausend-Watt-Lächeln mit einem Schalter verbunden gewesen wäre, den das Schicksal an- und ausknipste. Okay, ich war vielleicht ein Nachlass der CIA, aber in diesem Moment wurde mir klar, dass Macey genauso gut über Tarnidentitäten, heimliche Aktionspläne und Geheimbündnisse Bescheid wusste wie alle anderen, die ich kannte.

»Und was gibt's Neues bei dir?«, fragte ich.

Sie zog einen sauber bedruckten Papierbogen aus der Tasche. *»06 Uhr: Beim Frühstücksfernsehen erscheinen. 09 Uhr: Marineblaue Outfits anprobieren.«* Macey beugte sich zu mir rüber und wisperte: »In Rot seh ich wie ein Flittchen aus.« Sie nahm wieder ihre übliche Haltung ein und ging schneller. Auf einer Rampe näherten wir uns einer eisernen Tür am Ende des Tunnels. *»11 Uhr«*, las sie weiter. *»Spaß, mit Mom und Dad auf Familie machen.«*

Macey blieb stehen. Ihre Hand lag auf dem eisernen Griff.

»Jetzt weißt du Bescheid«, sagte sie und stieß die Tür zum größten Saal auf, den ich je gesehen hatte. »Das Übliche.«

Stühle, Tausende leerer Stühle, standen in der Halle. Schilder mit den Namen aller Staaten hingen darüber. Wir starteten in Oregon und durchquerten dann Delaware, an Kentucky vorbei. Vor uns erhoben sich Tribünen. Ich reckte den Hals und betrachtete die Logen rings um die Arena herum, die mit den Logos sämtlicher weltbekannter Nachrichtensender gekennzeichnet waren.

Macey und ich standen lange da. Wir waren zum ersten Mal allein. Vielleicht fühlte sie sich deshalb sicher genug, um mir zuzuflüstern: »Danke, dass du gekommen bist, Cam.«

Das Gesicht ihres Vaters prangte auf den Titelblättern aller Zeitschriften Amerikas. Macey würde in Kürze die Ballkönigin der größten Party des Landes sein. Wahrscheinlich hätte jedes Mädchen gern mit ihr getauscht, aber ich sah ihre traurigen Augen, als sie verloren in dem riesigen Raum stand, und wusste, warum ich da war. Schließlich kann ein Gallagher Girl nur funktionieren, wenn sie eine gute Rückendeckung hat.

»Komm, bringen wir's hinter uns, und dann gehen wir zurück in die Schule, okay?«, sagte ich.

»Okay«, erwiderte sie und lächelte beinah.

Vielleicht hätte sie *richtig* gelächelt, wenn uns nicht Schritte und eine Stimme unterbrochen hätten: »Hallo, meine Damen!«

Ich weiß nicht, wie es *euch* geht – *ich* habe jedenfalls gewisse Erwartungen, wenn ein Typ, der unter zwanzig ist, darauf besteht, gleichaltrige Mädchen »Damen« zu nennen. Ich erwarte zum Beispiel, dass er gut aussieht. Ich erwarte, dass er aalglatt ist und zu der Sorte Jungs gehört, die mehr Haarpflegeprodukte besitzt als ich.

Aber für Preston Winters traf das alles nicht zu.

Er war ungefähr so groß wie Macey, und ich glaube nicht, dass ich übertreibe, wenn ich behaupte, dass Liz ihn bei einem Faustkampf spielend k. o. schlagen würde. Sein maßgeschneiderter Anzug hing an seiner mageren Gestalt wie an einem verkleideten kleinen Jungen, was gar nicht so weit hergeholt war, wenn man bedenkt, dass er eine Spider-Man-Armbanduhr trug.

»Kurze Frage«, wisperte Macey. »Als deine Mutter gesagt hat, wir sollen in diesem Sommer keine Kampfsporttechniken anwenden, hat das nicht für die Söhne von Präsidentschaftskandidaten gegolten, oder?«

»Ich glaube, es hat *ganz besonders* für sie gegolten.«

Ich weiß nicht, ob es die Anwesenheit des Geheimdienstes oder das Besondere an unserer Schwesternschaft war, aber irgendetwas veranlasste Macey, tief Luft zu holen und zu lächeln (und ein ganz schlimmes Wort auf Portugiesisch zu flüstern).

»Sie sehen heute sehr … patriotisch aus, Miss McHenry«, sagte Preston und musterte Macey von oben bis unten.

Ich betrachtete Maceys rot-weiß-blaues Twinset (*Macey* hatte tatsächlich ein *Twinset* an!) und verbiss mir das Lachen.

»Ich glaube, wir kennen uns noch gar nicht«, wandte der Typ sich an mich und streckte mir seine rechte Hand entgegen. »Ich bin Preston. Und Sie sind …«

»… beschäftigt«, würgte ihn Macey ab und versuchte, mich wegzuziehen.

»Cammie«, sagte ich und widerstand dem Sog meiner Freundin lange genug, um Prestons Hand schütteln zu können. »Die Mitbewohnerin.«

Er verbeugte sich leicht und meinte: »Nett, Sie kennenzulernen, Cammie, Mitbewohnerin –«

Bevor er zu Ende sprechen konnte, hörte ich eine schrille Stimme: »Familie McHenry links!« Eine schlanke Frau betrat die Bühne. Maceys Eltern folgten ihr auf dem Fuße. Sie hatte ein Klemmbrett unter dem Arm, eine Hornbrille an einer Kette um den Hals und in ihren hoch aufgetürmten Haaren steckten zwei Bleistifte.

»Familie Winters auf der Bühne rechts!«

Während der Gouverneur von Vermont und seine Frau ihre Plätze einnahmen, stellte ich fest, dass einer der mächtigsten Männer des Landes aus Angst vor der Frau mit dem Klemmbrett zitterte.

»Familie McHenry!«, brüllte die Frau wieder. »Wir vermissen –«

»Hier bin ich«, rief Macey und stürmte in Richtung Bühne.

Ihre Mutter rollte mit den Augen. Ihr Vater schaute auf seine Uhr. Aber die Klemmbrett-Dame sagte nur: »Ausgezeichnet! Ein neuer paradiesischer Zustand ist ohne unsere Jugend schließlich nicht möglich. Schauen Sie sich nur ihre strahlenden Gesichter an!«

»Eigentlich habe ich meinen Teint Ihrer Firma zu verdanken,

Mrs McHenry.« Die ganze Gruppe schien überrascht zu sein, Preston reden zu hören – vor allem Preston. Aber anstatt den Mund zu halten, plapperte er weiter. »Die neue Abdeckcreme ist … *wow*. Wirkt einfach super«, fügte er mit einem verlegenen Nicken hinzu. Die Klemmbrett-Lady starrte ihn an, und es war ziemlich deutlich, dass die strahlenden Gesichter gesehen, aber nicht gehört werden sollten. »Ich stell mich jetzt hier hin«, erklärte Preston und nahm den Platz neben seinen Eltern ein.

Die Kandidaten wechselten sich hinter einem Rednerpult ab, das anscheinend mit allen östlich des Mississippi erhältlichen roten, weißen und blauen Stoffstreifen geschmückt worden war. Macey blieb in der Mitte von allem und schreckte kein einziges Mal vor den Scheinwerfern zurück, während ich mich in den hinteren Teil der Arena schlich und im Schatten untertauchte.

Wie oft verlangte die Klemmbrett-Lady, dass der Gouverneur Winters und Maceys Vater übten, sich die Hände zu schütteln und sich dann umzudrehen, um einer unsichtbaren Menschenmenge zuzuwinken? 14-mal.

Wie oft funkelte Macey ihre Mutter an? 26-mal.

Wie oft versuchte Preston, Maceys Aufmerksamkeit zu erhaschen, wobei sie ihn total ignorierte? 27-mal.

Wie oft musste Macey eine »spontane« Verneigung üben, als sie mit ihrem Vater tanzte? 5-mal.

Wie lange musste ich allein in der riesigen Halle sitzen und mich fragen, ob Freiheit und Demokratie schon immer so gut geübt worden waren? 55 Minuten lang.

Zur Mittagszeit spielte die Klemmbrett-Lady alles noch ein letztes Mal durch.

»Um genau 20 Uhr 04 fängt die Musik an zu spielen.« Die Klemmbrett-Lady hob theatralisch die Hände. »Dann«, sagte sie und betrachtete die Kandidaten und ihre Familien prüfend über ihr dunkles Brillengestell, »empfehle ich spontanes Tanzen.«

Preston lächelte Macey an. Macey schauderte.

»Luftballons senken sich um 20 Uhr 06. Feiern, feiern. Tanzen, tanzen. Einblenden der Werbung.«

»Alles erledigt?«, fragte ich, als Macey eine Minute später neben mir auftauchte. Ich hatte sie noch nie so erleichtert gesehen. (Nicht einmal damals, als Dr. Fibs ihr versprach, dass er sie bei seinem Hühneraugenpflaster-als-Waffen-Experiment nicht brauchte. Und sie *verdammt* erleichtert ausgesehen hatte, wie sich denken lässt.)

»Gehen wir«, sagte Macey, aber wir waren durch die Sommerferien wohl ein bisschen nachlässig geworden, weil Preston sich schon wieder an unsere Fersen geheftet hatte.

»Kann ich die Damen vielleicht für ein paar mittägliche Erfrischungen begeistern? Wie ich gehört habe, grillt die Delegation aus Hawaii ein großes Schwein.« In diesem Moment tat er mir fast ein bisschen leid, weil es das Blödeste war, was ich je gehört hatte. Aber er scheute nicht vor seiner eigenen Blödheit zurück. Kein Teil von Preston Winters tat sich selber leid. Er war der einzige Mensch, den ich kannte, der völlig ohne Tarnung war. Und dafür mochte ich ihn.

»Sorry, Preston.« Macey packte meinen Arm und schob mich zum Ausgang. Sie schwenkte ihr zerknittertes Programm vor seinem Gesicht hin und her. »Die Pflicht ruft.«

Aber beim Zusammenleben mit dem Kind eines Politikers habe ich Folgendes gelernt: Sie akzeptieren kein einfaches Nein als Antwort.

»Hey«, sagte er. »Ja, klar – Ablaufpläne. Unser Beitrag. Das ist toll.« Wir gingen zehn Schritte vor ihm, aber für ein schmächtiges Kerlchen war er ziemlich schnell. Und hartnäckig. »Ich komme mit.«

Da wir von zwei Geheimdienstlern flankiert wurden und ein Fernsehteam sich gerade auf eine Live-Schaltung vorbereitete, hatte Macey wohl beschlossen, ihn lieber nicht zu stoppen. Stattdessen drückte sie wieder gegen die Metalltür, und gleich danach gingen wir den gleichen Weg durch den unterirdischen Tunnel zurück.

Ein älterer Mann mit wilder weißer Mähne und buschigen Augenbrauen rannte mich beinah über den Haufen und murmelte mit starkem Südstaatenakzent: »Verzeihung, Miss.« Zwei Frauen in T-Shirts mit dem Aufdruck »Washingtoner für Winters« verbeugten sich fast vor Preston, aber er hielt Schritt mit uns, obwohl er dabei praktisch joggen musste.

»Die Damen gehen wohl auf dieselbe Schule?«, japste er. »Sind alle Frauen an der Akademie so umwerfend wie ihr?«

Macey wirbelte herum und erklärte: »Umwerfen können wir übrigens am besten!«

»Also, Preston«, versuchte ich das Thema schnell zu wechseln. Wir liefen jetzt durch den düsteren schmalen Gang, der mich am Morgen zu Macey geführt hatte. »Du freust dich sicher … für deinen Vater. Als sein Sohn. Und alles.«

»Oh, ja«, sagte Preston. »Ich freue mich sehr über die Pläne meines Vaters für Amerika.«

Er war der Sohn eines Politikers, aber ich war die Tochter eines Spions und erkannte eine Lüge, wenn ich sie hörte. Als wir den Service-Aufzug erreicht hatten, sah ich, dass Macey wie wild auf den Knopf drückte und sich offensichtlich verzweifelt überlegte, wie wir Preston draußen lassen könnten, aber *ich* konnte nur an einen anderen Jungen und einen anderen Fahrstuhl denken und wusste, dass es Dinge gab, die selbst ein Gallagher Girl irgendwann einholten.

Die Tür glitt zur Seite und wir stiegen ein. Es war so eng, dass einer der Leibwächter draußen bleiben musste.

»Das ist übrigens Charlie.« Preston deutete auf den Mann, der mehr als seinen gerechten Anteil des knapp bemessenen Raums in Anspruch nahm. »Charlie ist seit – wann war es noch mal? – Missouri, glaube ich, bei mir.«

Die Tür schloss sich. Charlie sagte kein Wort. Preston unterbrach die peinliche Stille mit einem kaum hörbaren »'ne Menge Spaß gehabt«.

Die Fahrt nach oben schien ziemlich lang zu dauern. Ich hätte mich fragen sollen, warum, tat es aber nicht – jedenfalls erst, als ich das *Ping* hörte und die Tür den Blick auf einen Raum freigab, den ich noch nie zuvor betreten hatte.

Wir hätten genauso gut in einem anderen Land sein können – ganz zu schweigen von einem anderen Gebäude –, als wir eine grell beleuchtete Kammer betraten, in der keine roten Teppiche lagen und es weder herumhetzende Praktikanten noch geduldige Wächter gab. An einer Wand lehnte ein Wagen des Zimmerservice, dem zwei Räder fehlten. Es standen Wäschekarren und alte Kopfteile von Betten herum. Riesige

Maschinen machten einen Heidenlärm und verbreiteten eine fast unerträgliche Hitze.

»Hast du auf den falschen Knopf gedrückt?«, fragte ich und sah Macey an.

»Da steht: *12 Uhr 05 – Werbe-Video drehen. Service-Aufzug. Flur R.*« Sie zeigte auf das große R an der Wand.

Ich warf Charlie einen Blick zu, der seit dem Flur, auf dem sich das Kongresszentrum befand, kein Wort von sich gegeben hatte, aber jetzt nicht zögerte, den Ärmel zu heben und zu sagen: »Kontrolle, ich bin mit dem Pfau und dem tollwütigen Hund –«

Neben mir zog Preston die Augenbrauen hoch und erklärte leise: »Hab ich mir selber ausgesucht.«

Aber Charlie redete weiter. »Wir sind auf R. Wird das Video hier gedreht oder hat sich was geändert?« Er blickte mich an. »Es wird überprüft.«

Die Luft war heiß und stickig. Der Raum war viel zu klein, um ein ganzes Stockwerk einzunehmen. Am anderen Ende befand sich eine Tür mit einem kleinen Fenster, weshalb ich mich nicht wunderte, dass Macey sagte: »Ich wette, wir sollen da raus.« Dann stürmte sie ins Freie.

Ein Gallagher Girl muss vieles sein: abenteuerlustig, wagemutig und ohne Höhenangst. Um nur ein paar Eigenschaften zu nennen. Das alles kam uns sehr gelegen, als wir – Macey, Preston und ich – das Dach des Hotels betraten.

Ein kräftiger Wind blies vom Hafen herüber und schlug die Stahltür hinter uns zu. Als wir uns der Dachkante näherten und auf die Stadt schauten, sahen wir alte Kirchtürme und Wolkenkratzer. Einige Häuser wirkten, als ob Paul Revere, der 1775 auf seinem Pferd laut schreiend die Einwohner von Boston vor der anrückenden britischen Armee gewarnt hatte, aus der Tür treten könnte. Andere schienen aus der Zukunft zu stammen. Sechzig Stockwerke unter uns standen die Autos von Fernsehsendern und Reisebusse auf den total verstopften Straßen, aber auf dem Dach des Hotels erschien uns das Chaos des Kongresses in weiter Ferne. Was vermutlich unser Problem war.

Hier gab es keine Fernsehteams, keine PR-Spezialisten. Ich schaute Macey an, die aussprach, was ich dachte. »Hier stimmt was nicht.« Dann wandte sie sich an Preston. »Und wo sollen wir eigentlich sein?« Macey blickte von Preston auf ihr zerknittertes Programm und streckte schließlich die Hand aus. »Zeig mir mal *deinen* Plan!«

»Okay, ja … das ist nicht so einfach …«, stotterte er und gab dann zu: »Meine Mutter hat ihn.«

Ich drehte mich suchend nach Charlie um, aber der Mann war nirgends zu sehen, und in diesem Moment schien sich alles zu verändern.

Vielleicht waren es die vier Jahre Training oder die sechzehneinhalb Jahre, in denen ich Rachel Morgans Tochter war – jedenfalls wurde mir klar, dass dieses Dach ein ganz, ganz übler Ort war.

»Hey, du bist ja –«, begann Preston, während ich auf die schwere Stahltür zurannte, »eine echt schnelle Läuferin.«

Aber ich hörte ihn kaum, als ich mit aller Kraft, dennoch vergeblich, am Türgriff zog und mit den Fäusten auf das graue Metall haute. Die Tür war verriegelt – oder klemmte. So, wie wir gekommen waren, würden wir das Dach jedenfalls nicht verlassen.

»Hier stimmt was nicht«, wiederholte Macey hinter mir, wobei sie ihr Programm noch mal durchlas. Der Teil von ihr, der die Tochter eines Politikers war, hatte sie immer noch dermaßen im Griff, dass sie den anderen, den Spionage-Teil – das Mädchen, das sie, wie sie glaubte, in den Sommerferien nicht werden würde – völlig außer Acht ließ.

»Irgendwas stimmt hier einfach …« Dann verhallte ihre Stimme. Maceys blaue Augen starrten in meine. Ich sah, dass ihr plötzlich etwas klar wurde – ich sah Angst –, als sie auf das Stück Papier in ihren Händen guckte und mich wieder anschaute …

… und dann auf den Hubschrauber blickte, der zu niedrig und zu schnell flog und auf uns zusteuerte.

Kapitel Drei

Bei Geheimoperationen ist es übrigens so: Die wirklich schlimmen Dinge passieren, wenn man es am wenigsten erwartet. Die Bösewichte warnen dich nämlich nicht, bevor sie dich angreifen. Sie lassen dir auch keine dreißig Minuten Zeit nach dem Essen. Und sie geben dir nie, aber auch wirklich *nie* die Chance, dir erst einmal bequeme Schuhe anzuziehen.

Sich auf ein derartiges Leben vorzubereiten, heißt also: Die Ausbildung zur Spionin findet ununterbrochen statt.

Ich dachte an den Zettel in Maceys Händen und redete mir ein, dass es vielleicht ein unschuldiger Fehler war, eine Änderung des Programms. Es bedeutete nicht, dass unsere Lehrer Macey – und mich als Anhängsel – absichtlich auf ein Dach gelockt hatten, um uns irgendeiner schrecklichen Prüfung auszusetzen. Es bedeutete nicht, dass ein Kampf auf uns zukam. Es bedeutete nicht, dass mein Herz allen Grund hatte, zu rasen.

Aber ich blickte meine Freundin trotzdem an und fragte: »Denkst du, was ich denke?«

Macey zuckte mit den Achseln. »Unsere Lehrer würden nichts vor ihm machen.« Sie zeigte auf Preston, der sich über das Geländer beugte und das Chaos auf der Straße unter uns beobachtete, wobei ihm der dunkle Punkt am Horizont völlig entging, der sich in Windeseile näherte.

Ich dachte an Prestons fehlendes Programm. »Vielleicht sollte er gar nicht hier sein?«

In diesem Moment ließ Macey ihren Zettel los. Ich sah, wie er in der Luft schwebte und herumwirbelte, als sich der Hubschrauber senkte. Es war, als ob Macey auch ihre Tarnung losgelassen hätte. Das Hotel war voller Menschen, die nur die Tochter des Kandidaten wahrnahmen, aber genau jetzt an diesem Ort gab es keinen Zweifel, wer Macey McHenry war.

»Hey, schaut mal!«, sagte Preston, der den Hubschrauber über uns endlich entdeckt hatte. Ein Seil fiel herab und baumelte zwischen Himmel und Dach.

Ich hörte etwas klicken und ein metallisches Knirschen, als sich die Tür zum Dach öffnete. Aber es war nicht Charlie. Zwei maskierte Gestalten traten in das grelle Sonnenlicht. Ich konnte mich nicht länger beherrschen und schrie: »Es sind doch Sommerferien!«

Ich spürte Macey im Rücken und sah, dass Preston auf eine dunkle Person starrte, die sich vom Hubschrauber abseilte. Preston wirkte, als wäre er in ein Computerspiel gestolpert – oder in einen Albtraum. »Sie sehen nicht aus wie unentschlossene Wähler«, meinte er, als ob Sarkasmus für ihn eine Waffe war, auf die er sich sein Leben lang verlassen hatte und die ihn jetzt bitte auch nicht im Stich lassen sollte.

Die Maskierten stürzten sich nicht auf uns. Sie waren keine Anfänger. Sie waren vorbereitet. Und sie waren gut. Sie bewegten sich zielbewusst und hielten den gleichen Abstand zu Macey und mir, während wir Rücken an Rücken in der Mitte des Daches standen und uns innerlich wappneten.

»Preston!«, brüllte ich. »Verschwinde!«

Ich wollte, dass er sich versteckte. Ich wollte, dass er bewusstlos oder blind wäre. Ich wollte, dass er irgendwo wäre, nur nicht hier. Ich wusste nur allzu gut, was passierte, wenn ein normaler Junge mitten in einer Geheimoperations-Übung auftauchte. Es war ein Kapitel, das ich nicht noch einmal erleben musste.

»Das passt mir ...«, sagte ich knurrend, während ich den ersten Schlag des Angreifers abwehrte, »im Moment gerade ...« – ich machte einen halben Schritt nach rechts und versetzte den Knien eines Maskierten einen Tritt – »... nicht so gut!«

Einer der Männer stand vor mir. Strahlend weiße Zähne leuchteten hinter seiner dunklen Maske. Eine Sekunde lang bildete ich mir ein, das Lächeln von Mr Solomon zu erkennen. Der erste Angreifer, der aus dem Hubschrauber geklettert war, besaß die unverkennbaren Kurven einer schönen Frau, und ich fragte mich, ob es vielleicht meine Mutter war.

Dann spürte ich plötzlich einen Faustschlag in der Seite, eine perfekte Linke, und während ich auf das klebrige geteerte Dach fiel, sah ich, dass Hubschrauber von Nachrichtensendern um uns herumschwirrten – und wusste Bescheid.

Ich wusste, so unvorsichtig wäre keiner von der Gallagher Akademie.

Ich wusste, dass meine Mutter und Mr Solomon lieber sterben würden, als die Wahrheit über unsere Schule vor so viel Publikum preiszugeben.

Ich wusste, dass hinter dem Hieb noch etwas anderes steckte. Das hatte mir nicht die Faust des Angreifers, sondern sein Blick deutlich gemacht.

Und dann wusste ich vor allem, dass ich Macey und Preston vom Dach schaffen musste.

Ich kann nicht mehr erklären, was als Nächstes passierte, aber in diesem Moment fiel mir sofort alles ein, was ich jemals im Unterrichtsfach *Schutz und Vollstreckung* (S+V) gelernt hatte. Ich hatte gelernt, dass das Überleben nicht nur von Faustschlägen und Tritten abhing, sondern es auch was mit Geometrie, Timing und einer Beschleunigung der Reflexe zu tun hatte, während der Kopf langsamer arbeitete.

Es kann eine Minute gedauert haben oder einen Monat. Allerdings weiß ich genau, dass einer der Männer auf mich zusprang. Ich duckte mich, als seine Faust geflogen kam und meinen Kopf nur knapp verfehlte. Trotzdem war meine Aufmerksamkeit schon wieder woanders – meine Augen suchten das Dach nach einer Waffe, einem Ausweg oder beidem ab. Dabei entdeckte ich das schmale Trittbrett eines Fensterputzers, das unter dem Dach baumelte. Es hatte Handläufe auf beiden Seiten und war mit einem Zugseil verbunden.

Mein Herz hämmerte. Der Wind pfiff in meinen Ohren, als ich Prestons Hand packte und schrie: »Los, komm!«

Hinter mir waren Schritte – eine Hand auf meinem Arm. Ich drehte mich blitzschnell um, aber bevor ich zuschlagen konnte, holte Preston mit seiner freien Hand aus und boxte den Mann auf den Hals. Es war ein reiner Glückstreffer, aber ich nahm gern jede Hilfe an, während ich den potenziellen *First Son* außer Gefahr und auf das schmale Brett bugsierte.

»Ich hab einen Mann geschlagen«, sagte er und starrte auf seine Faust, als ob *das* das Schockierendste gewesen wäre.

»Ich weiß. Gut gemacht«, erwiderte ich und langte nach der Steuerung, aber da schien Preston zum ersten Mal zu merken, dass ich ihn auf etwas gestellt hatte, das an einem sechzigstöckigen Hochhaus baumelte.

»Warte!«, brüllte er.

»Schon okay«, meinte ich nur.

»Aber soll ich nicht …«, murmelte er wie jemand, der wusste, dass er sich wie ein Gentleman benehmen müsste, aber keine Ahnung hatte, wie das gehen sollte.

Hinter mir hörte ich Macey vor Schmerzen aufschreien, aber ich konzentrierte mich und drückte auf den grünen Knopf. Aus irgendeinem Grund wusste ich, dass es in diesem Moment meine Aufgabe war, Preston vom Dach zu bekommen.

»Halt dich fest!«, brüllte ich, und im nächsten Augenblick war die Schwerkraft am Zug, Preston sauste zwanzig Stockwerke tiefer und war in Sicherheit.

Ich hätte diese Tatsache genießen können, aber die Angreifer schienen sich neu zu sammeln, und ich beobachtete, wie die Frau eine Hand hob und auf Macey zeigte, die sich neben mich stellte.

»Schnappt sie!«, befahl die Frau. Ich blickte meine Freundin von der Seite an, die Tochter eines Senators der Vereinigten Staaten und einer der reichsten Frauen der Welt. Meine Freundin, die schon auf allen Titelblättern Amerikas war. Meine Freundin, die der Traum jedes Kidnappers wäre.

Macey und ich wichen langsam zurück und näherten uns der Wand. Wir wurden in die Enge getrieben.

»Nein«, brüllte ich, als würde das reichen, die Angreifer aufzuhalten.

Dann sah ich ein rostiges Entlüftungsrohr, drei Meter rechts neben der Tür, die ich ganz sicher nicht öffnen konnte. Ich ließ mich auf den Boden fallen, trat mit aller Kraft gegen das Rohr und spürte, dass es nachgab. Erneut trat ich dagegen, während sich die Männer hinter mir auf Macey stürzten. Ich vernahm ein abscheuliches Knacken, drehte mich um und sah, dass meine Mitbewohnerin ihren Arm umklammerte, zu Boden sank und vor Schmerzen heulte, also trat ich noch fester zu und diesmal knickte das alte Rohr ein und sprang heraus. Ich schleuderte es gegen den Kopf von einem der Männer, der nach Macey griff. Dabei hörte ich, wie das Metall gegen einen Schädel prallte, hielt aber nicht inne, um das Ganze zu begutachten – ich war viel zu sehr damit beschäftigt, Macey zu schnappen und auf das Loch in der Mauer zuzuschieben, das das Entlüftungsrohr hinterlassen hatte.

Ich folgte ihr, aber jemand packte mich mit eisernem Griff an den Schultern und hielt mich fest. Ich kämpfte verzweifelt. Während ich versuchte, mich loszueisen, berührte meine Hand einen Siegelring. Ich hätte schwören können, den schon einmal gesehen zu haben. Für den Bruchteil einer Sekunde konzentrierte ich mich darauf, wo das gewesen sein konnte. Aber dann sagte ein schwaches Stimmchen »Cam«, und mir fiel meine Freundin wieder ein – meine Mission.

Ich kämpfte noch heftiger, beugte mich vor und betete, dass ich mit einem Schwung durch das Loch in der Mauer an einen sicheren Ort katapultiert würde. Plötzlich erinnerte ich mich an den Winters-McHenry-Button an meiner Bluse. Mein Hemd zerriss, als ich an ihm zog und die Nadel in die Hand auf meiner linken Schulter stieß.

Die Frau hinter mir jaulte vor Schmerz, während ich Macey durch das Loch schubste und hinterhersprang.

»Lauf, Macey!«, schrie ich. »Schnell!«

Ich überlegte nicht. Mir fielen keine Strategien ein. Keine Karteikarten. Kein Vokabular. Es ging hier um die uralte Entscheidung: Kampf oder Flucht. Maceys Arm hing in einem merkwürdigen Winkel nach unten. Meine Rippen taten unwahrscheinlich weh und ich ahnte, dass es zumindest blaue Flecken geben würde oder sie sogar gebrochen waren. Ich wusste, dass Kämpfen keine Alternative war. Wir mussten hier raus und zwar sofort.

»Los!«, befahl ich. Hinter uns öffnete sich die Stahltür. Licht fiel quer über den Betonboden auf ein Paar lange Beine, die merkwürdig geknickt hinter einer der riesigen Maschinen hervorragten.

Ich hörte Macey »Charlie« flüstern.

Wir schoben uns an den ratternden Maschinen vorbei und umrundeten die zerbrochenen Möbel und den Hotelkram eines Jahrzehnts, bis wir den Fahrstuhl erreichten, der uns hierher gebracht hatte.

Und dann war mir zum ersten Mal so richtig zum Heulen zumute.

Die Fahrstuhltür stand offen. Verdrillte Drähte ragten aus dem Steuerkasten und sprühten noch Funken, wo sie aus der Wand gerissen und präzise durchgeschnitten worden waren.

Wir konnten nirgends hinlaufen. Wir konnten uns nirgends verstecken. Ich drehte mich um und sah drei Gestalten gezielt auf uns zukommen – eine Jagdgesellschaft, deren Hubschrauber bereit war, meine Freundin an einen Ort zu bringen, den ich mir nicht vorzustellen traute.

Ich schaute mich schnell nach einer Waffe um, erblickte eine Karre und stieß sie mit aller Kraft auf die Typen zu. Ich hoffte, dass sie wie die größte Bowling-Kugel der Welt funktionierte und die schwarz gekleideten Gestalten mit einem Schlag umhaute. Aber der Mann, der voranging, kickte sie nur aus dem Weg.

»Cam«, wisperte Macey. Sie wurde immer blasser. Ihr linker Arm war geschwollen und jetzt doppelt so dick wie sonst, und trotzdem schaffte sie es, mit der rechten Hand auf ein viereckiges Loch in der Wand zu deuten, auf die Öffnung eines Schachts oder einer Rutsche.

Ich wusste nicht, was es war oder wohin es führte. Und ich hatte keine Zeit, danach zu fragen. Ich warf mich einfach nach vorn, nachdem ich Macey vor mir in das Loch geschubst hatte.

Einer der Männer stürzte sich auf mich. Ich hörte, wie ein gebrülltes »Nein« im Schacht widerhallte, aber es war schon zu spät. Ich wirbelte einem unbekannten Ort entgegen und betete, dass er besser war als der, den ich gerade verlassen hatte.

Im freien Fall knallte mein Kopf gegen die Wand des metallenen Schachts. Etwas Heißes, Feuchtes drang in meine Augen und ich spürte trotz allem Dankbarkeit und Hoffnung. Mir wurde schwindlig.

Es gab einen leisen *Plumps*. Der Boden unter mir schien zu rollen, aber wenigstens *war* da ein Boden.

Ich wälzte mich zur Seite und sah blinzelnd und voller Schmerzen weiße Laken, auf die ein roter Tropfen fiel. Macey lag bewusstlos neben mir.

Ich legte den Kopf in den Nacken und merkte, dass sich die Welt zu drehen begann. In der Ferne hörte ich jemanden brüllen: »Geheimdienst der Vereinigten Staaten! Aufmachen!«

Und wie durch dichten Nebel drifteten meine Gedanken zu dem Augenblick zurück, in dem die Welt zum letzten Mal

Kopf stand. Ein Junge hatte mich nach hinten gebogen und mich geküsst. Einen Moment lang konnte ich sein Gesicht fast sehen, das sich zu mir beugte. Es war, als würde mein Leben vor meinen Augen vorbeirauschen.

Und dann wurde die ganze Welt schwarz.

Kapitel Vier

Nicht jeder Schlaf ist gleich, davon bin ich felsenfest überzeugt. Es gibt zum Beispiel den Bex-hat-mich-zu-einer-Runde-Kickboxen-herausgefordert-Schlaf, wo nur der Schmerz des Körpers noch gewaltiger ist als die Erschöpfung. Dann gibt es noch den Grandma-Morgan-hat-eine-riesige-Mahlzeit-gekocht-und-ich-brauche-drei-Wochen-lang-nirgendwo-anders-zu-sein-Schlaf, der sich nur dort einstellt, wo man sich absolut sicher fühlt. Es gibt aber auch noch die andere Art – die schlimmste Art –, wenn der Körper an einen Ort geht, zu dem der Verstand ihm nicht folgen kann: der Mom-hat-mir-eben-gesagt-dass-Dad-nie-mehr-wieder-nach-Hause-kommt-Schlaf. Der Körper ruht, aber das Herz … hat andere Dinge zu tun, und man erwacht am nächsten Morgen und betet, hofft und fleht, dass die vorangegangene Nacht nur ein schrecklicher Traum war.

Ich hätte es nie für möglich gehalten, dass man alle drei Arten von Schlaf gleichzeitig durchmachen kann. Aber es *ist* möglich. Das weiß ich jetzt.

»Nicht bewegen!«, sagte eine tiefe Stimme.

Ich nahm zuerst das Licht wahr, das durch meine geschlossenen Lider drang und mich zwang, den Kopf von dem grellen Schein wegzudrehen. Ich spürte einen brennenden Schmerz, und eine tiefe Stimme lachte leise.

»Ich weiß, Sie sind nicht besonders scharf darauf, Anweisungen zu folgen, Miss Morgan, aber wenn ich Ihnen empfehle, still zu liegen, tun Sie besser, was ich Ihnen sage.«

Ich zwinkerte und schluckte, aber mein Mund fühlte sich an, als ob er voll Sand wäre, und meine Augen waren wie glühende Kohlen. Ich versuchte, mich aufzusetzen, aber eine Hand drückte mich wieder sanft auf ein weiches Kissen. Ich schaute in das verschwommene Gesicht meiner Mutter, der Schulleiterin und besten Spionin aller Zeiten.

Und dann fand ich irgendwie die Kraft zu fragen: »Das war aber kein Test, oder?«

Ich wusste nicht, wo ich mich befand, welchen Tag wir hatten oder wie viel Uhr es war, aber ich kannte das Gesicht meiner Mutter, und das reichte aus, um meine Frage zu beantworten.

»Willkommen zurück«, hörte ich die tiefe Stimme sagen, drehte meinen Kopf und sah, dass Mr Solomon am Fußende meines Bettes stand. Zum ersten Mal, seit ich ihn kennengelernt hatte, war es mir egal, in welchem Zustand meine Haare waren.

»Mr –«, begann ich. Meine Stimme war rau.

»Hier.« Meine Mutter hielt mir ein Glas Wasser an die Lippen, aber ich konnte nicht trinken.

»Macey!«, rief ich und richtete mich zu schnell auf. Mir drehte sich der Kopf und mein Hals brannte, aber nichts konnte mich zurückhalten. Ich hatte tausend Fragen, aber in diesem Augenblick war nur eine wichtig. »Macey! Ist sie –«

»Es geht ihr gut«, beruhigte mich Mom.

»Sogar besser als Ihnen«, sagte Mr Solomon. »Ein gebrochener Arm ist nicht so schlimm wie …« Er tippte mit dem Finger an seine Schläfe, und zum ersten Mal spürte ich den Verband an meinem Kopf. Ich dachte an den Sturz in den Schacht und das Blut in meinen Augen. Dann wurde mir trotz meiner Ausbildung zur Spionin wieder schwindlig, und ich legte den Kopf auf das Kissen zurück.

»Wo bin ich?«, fragte ich, und mir fiel auf, dass ich anstelle des Rocks, den ich in Boston getragen hatte, meinen ältesten und weichsten Schlafanzug trug. Statt den Schmerz frischer Blutergüsse zu spüren, tat mir der Körper weh, als hätte ich mich seit Jahren nicht bewegt. Da wusste ich, dass ich meine Frage ändern musste. »*Wann* bin ich?«

»Sie waren etwas mehr als einen Tag lang nicht bei Bewusstsein«, sagte Mr Solomon. »Sobald es ging, haben wir Sie hierher gebracht.«

»Hierher?« Ich schaute mich um. Die Holzwand neben meinem Bett fühlte sich rau an. Der Fußboden war auch aus Holz. Ich lag anscheinend in einer Hütte, die wahrscheinlich der Schule oder der CIA gehörte. »Ist das ein geheimer Unterschlupf?«

Erst als mein Lehrer antwortete: »Das will ich doch hoffen! Er gehört schließlich mir«, begriff ich, *wie* geheim er war.

Mr Solomon besaß eine Hütte. Mr Solomon besaß *diese* Hütte. Normalerweise hätte ich jede Einzelheit genauestens unter die Lupe genommen – die Patchwork-Decke, den Kasten mit Angelzeug, den Geruch von Tannen und alten Mottenkugeln. Ich hätte mich vielleicht gewundert, dass Mr Solomon überhaupt irgendwo lebte, dass er Wurzeln hatte.

»Ich bin nicht oft hier«, sagte er, als hätte er meine Gedanken gelesen. »Aber die Hütte ist doch ganz nützlich« – er schien sich genau zu überlegen, was er sagen wollte – »bei bestimmten Anlässen.«

Ich dachte nicht lang über die »Anlässe« seines Lebens nach. Ich wusste, dass meine Fantasie nie ausreichen würde, also saß ich nur da und versuchte, den Mut aufzubringen zu fragen: »Und Charlie?«

Mom lächelte. Sie strich mir über die Haare. »Er wird sich erholen, Cam. Es wird ihm wieder gut gehen.«

Das hätte mich eigentlich beruhigen sollen, aber es klappte nicht. Die Sonne schien durch die mächtigen Bäume, und Strahlen fielen auf mein Bett. Ich setzte mich aufrechter. »Ist Macey auch hier?«

Mein Lehrer nickte. »Draußen. Es war nicht ganz einfach, sie nach allem, was passiert ist, dem Geheimdienst abzuluchsen, aber« – seine Stimme verhallte, er sah meine Mutter an und dann wieder mich – »wir sind schon mit Schlimmerem fertiggeworden.«

Manchmal habe ich das Gefühl, dass wir Gallagher Girls viel Zeit damit verbringen, uns über die Dinge zu wundern, die unsere Lehrer gesehen und getan haben. An diesem Tag erkundigte ich mich allerdings nicht nach irgendwelchen Einzelheiten. Bis zu diesem Zeitpunkt hatte ich schon genug gesehen, um zu wissen, dass ich ihre Geschichten gar nicht hören wollte.

»Was ist passiert?«, fragte ich, ohne meine Mutter oder meinen Lehrer anzusehen. Meine Finger zeichneten das Muster der Patchwork-Decke nach. Ich war dabei gewesen und brachte trotzdem nur noch ein »War es …« heraus.

»Ein Entführungsversuch?«, beendete Mr Solomon meine Frage, und ich nickte und versuchte, mich so professionell zu verhalten wie mein Lehrer klang. »Solche Sachen passieren öfter, als man denkt. Jedenfalls beinah.« Ich versuchte, zu nicken und zu lächeln. Schließlich lässt sich die Qualität von Geheimoperationen daran messen, wie wenig jemand darüber weiß. Aber die Leute würden von *dieser* Sache erfahren. »In neunundneunzig von hundert Fällen kommt es nicht dazu, aber –«

»Sie waren gut«, sagte ich und schauderte, als ich daran dachte.

Mr Solomon nickte. »Ja«, gab er zu, als ob er ungewollt beeindruckt wäre. »Stimmt. Der Geheimdienst und das FBI werden Ihnen sicher ein paar Fragen stellen. Miss Morgan, diese Agenten gehören höchstens der Sicherheitsstufe Sechs an – Sie wissen doch, was Sie ihnen sagen müssen?«

Ich nickte. »Meine Mitbewohnerin hat mich zu diesem Kongress eingeladen. Wir wurden auf dem Dach überfallen. Wir konnten fliehen.« Ich leierte die Tarnversion herunter, die ich aufzusagen hätte. Ich dachte daran, dass ich vierzehn Sprachen sprach und mein Leben trotzdem von den Dingen regiert wurde, die ich nicht sagen konnte.

Ich schaute aus dem Fenster, sah die Bäume, die vor der Hütte standen, eine Lichtung und in der Ferne einen funkelnden See. Macey stand am Ende eines langen Stegs und blickte auf das Wasser.

»Wir hatten Glück«, fügte ich leise hinzu, und in diesem Moment fühlte sich meine Geschichte gar nicht wie eine Lüge an.

Das Handy meiner Mutter klingelte, und sie holte es schnell aus der Tasche. Ich hörte sie flüstern und jemanden »Sir« nennen. Ich drehte mich um und schaute wieder zu dem Mädchen auf dem Steg. Dann kletterte ich langsam aus dem Bett und ging auf eine altmodische Fliegengittertür zu.

»Da oben ist nichts kaputt«, meinte Mr Solomon. Ich blieb stehen und bemerkte, dass er auf meinen schwindligen Kopf zeigte. »Sie können es mir glauben, Cammie, alles wird gut.« Er berührte eine verblichene Narbe an seiner Schläfe. »Mit solchen Sachen kenne ich mich aus.«

Mr Solomon war der beste Lehrer, den ich je hatte, und ich wollte ihn nicht enttäuschen. Deshalb log ich. »Ich weiß.«

»Hey«, sagte ich, als ich das Ende des Bootsstegs erreicht hatte. Macey stand immer noch da und schaute hinaus auf den stillen, ruhigen See. Ihre linke Wange war zerkratzt. Das rechte Auge war schwarz umrandet, und ihr linker Arm hing in einer total unvorteilhaften Schlinge. Als ich auf sie zuging, dachte ich unwillkürlich: *Wenn Macey schon so aussieht, dann will ich lieber gar nicht in den Spiegel gucken.*

»Willkommen zurück«, erwiderte sie.

»Danke.«

»Wie geht's dem Kopf?«

»Tut weh. Wie geht's dem Arm?« Meine Mitbewohnerin antwortete nicht. Sie sagte nichts zu meinen unmöglichen Haaren oder den blauen Flecken auf unseren Gesichtern, die kein Concealer, egal wie dick aufgetragen, verbergen konnte.

Es gab zu viel zu bereden, also bedrängte ich sie nicht. Stattdessen machte ich ein paar Schritte, lauschte dem Knarren der Bretter unter meinen Füßen und dachte daran, dass wir an unserer Schule zwar gelernt hatten, wie wir von so einem Dach runterkamen, aber nichts in unserer außergewöhnlichen Ausbildung hatte uns beigebracht, was wir als Nächstes tun sollten.

Ich wollte im Klassenzimmer sitzen und beim GehOp-Unterricht Mr Solomon zuhören, während er jede Bewegung, jeden Hinweis und jeden Faustschlag bis ins Kleinste unter die Lupe nahm.

Und ich wollte alles aus meinem Gedächtnis streichen und nie mehr daran denken.

Ich wollte wissen, wer das getan hatte und warum und weswegen.

Und ich wollte glauben, dass es vorbei war und diese Details jetzt keine Bedeutung mehr hatten.

Ich wollte aus dem tollsten Training, das ich je hatte, etwas lernen und anschließend besser sein.

Und ich wollte, dass es nicht mehr Wirklichkeit war.

Ich wollte tausend verschiedene Dinge, als wir da standen, aber vor allem wollte ich, dass das Mädchen, das in Boston an meiner Seite war, sich umdrehte und sah, dass ich jetzt an ihrer war.

»Ich hab gehört, Charlie wird es schaffen«, erklärte ich, aber Macey lächelte nicht.

»Hast du mit Preston gesprochen?«, versuchte ich es wieder, aber ihr Blick blieb starr.

»Macey, willst du darüber reden?«, fragte ich, aber sie atmete gleichmäßig weiter, ohne den Blick abzuwenden.

»Macey«, fing ich wieder an, »bitte sag doch was! Bitte sag –«

»Es ist schön«, sagte sie, während der Spätsommerwind durch die Bäume strich. »Es gefällt mir. Ich mag das Wasser.«

»Habt ihr nicht ein Haus auf Martha's Vineyard?«, fragte ich und konnte mir nicht vorstellen, dass eine klapprige Hütte an einem ruhigen See mit ihrer schicken Villa auf der Insel an der Atlantikküste mithalten konnte. Aber Macey schaute weiter auf das stille Wasser und murmelte: »Das hier ist besser.«

»Wir werden Fragen beantworten müssen. Wir werden aufpassen müssen, was wir sagen. Wir –«

»Sie haben mich schon befragt«, erklärte Macey. Ihr Blick blieb auf den Horizont gerichtet. »Das Haus hier fühlt sich sicher an.« Sie drehte sich endlich um und sah mich an. »Fühlt es sich denn nicht sicher an, Cam?«

»Doch, Macey«, antwortete ich leise. »Echt.«

Es wurde spät. Meine innere Uhr schien wieder zu funktionieren, und irgendwas an der Art, wie sich die Sonne hinter den bewaldeten Hügeln senkte, sagte mir, dass es fast acht sein musste.

»Gleich ist es so weit«, meinte Macey, als ob sie meine Gedanken gelesen hätte. »Sie kommen. Meine Eltern wollen, dass ich bei ihnen bin ...«

»Natürlich«, erwiderte ich schnell.

»... auf der Wahlkampftour«, beendete Macey ihren Satz. Ich starrte sie an und vergaß meinen wunden Kopf und meine schmerzenden Muskeln. Sie rang sich ein Lächeln ab. »Wir haben bereits einen Vorsprung von zehn Punkten.«

Ich wusste nicht, was ich sagen sollte, also schwieg ich. Stattdessen standen wir einfach nur da, bis wir die Fliegengittertür hinter uns quietschen und zuschlagen hörten. Eine Minute später tauchte ein Hubschrauber am Horizont auf und senkte sich, wobei seine Rotoren die Oberfläche des Sees kräuselten, bevor er irgendwo im Wald landete.

Es wurde kühler. Macey schlang den heilen Arm um sich und zitterte im Wind, aber sie rührte sich nicht von der Stelle.

Ihr Name wurde wahrscheinlich in jeder Nachrichtensendung in ganz Amerika erwähnt. Man konnte sich leicht vorstellen, wie Praktikanten herumschwirrten und aufgeregt darüber diskutierten, dass Reden umgeschrieben und neue Werbesendungen eingeblendet werden mussten. Die Kampagne hatte einen neuen Star – ein neues Thema. Aber das alles erschien mir wie eine andere Welt, weshalb ich einfach nur neben meiner Freundin stand und zum ersten Mal der Meinung war, dass sich Joe Solomon täuschte.

Macey McHenry ging es nicht besser als mir.

Bei Weitem nicht.

Kapitel Fünf

Ich kenne die Geräusche, die meine Schule macht – die knarrenden Stufen und quietschenden Türen, die gedämpften Stimmen vor den Abschlussprüfungen, das laute Durcheinander in der großen Halle vor dem Abendessen. Der erste Tag eines neuen Schuljahrs hat einen ganz besonderen Klang: Limousinen biegen in die kurvige Einfahrt ab und Autotüren werden zugeschlagen, Koffer knallen an Geländer und Mädchen quietschen, wenn sie sich bei der Begrüßung umarmen.

Aber das erste Semester meines zweitletzten Schuljahrs fing mit einem so leisen Geflüster an, dass ich es fast nicht hörte.

»Setzt Macey dieses Semester aus?«, fragte eine Schülerin der Abschlussklasse eine andere, als sie vor der Bibliothek die Köpfe zusammensteckten.

»Ich hab gehört, sie mussten ihr einen Arm amputieren und durch ein bionisches Teil ersetzen, das Dr. Fibs in seinem Labor angefertigt hat«, sagte eine Achtklässlerin, als ich an der Tür zu ihrem Gemeinschaftsraum vorbeiging.

Gallagher Girls verbringen ihre Freizeit damit, sich in allen vier Ecken der Welt herumzutreiben, aber in diesem Jahr hatte jedes Mädchen, das aus den Sommerferien zurückkam, die gleichen Fragen. Also zog ich weiter und durchschweifte die lautlosen Säle wie ein Schatten, bis ich um eine Ecke bog und fast mit Tina Walters zusammenstieß.

»Cammie!«, schrie Tina, und in der ungewohnten Stille unserer Schule hallte mein Name wie ein Echo wider. Sie warf die Arme um mich. »Du bist okay!«, rief sie aus. Dann überlegte sie kurz und fragte: »Du bist doch okay, oder?«

»Ja, Tina, ich bin –«

»Weil ich nämlich gehört habe, du hättest einen mit einem Wahlkampf-Button getötet.«

Tina ist ein junges Mädchen, eine Spionin in der Ausbildung und die einzige Tochter der bekanntesten Klatschreporterin im Land. Also ist es nicht überraschend, dass sie total verrückte Theorien hat. Eine Menge davon. Andauernd. Aber in dieser Sekunde tauchte das sonnige Dach blitzschnell vor meinen Augen auf. Ich sah die Schatten der sich drehenden Rotoren, spürte die Hände, die mich an den Schultern packten. Dann hörte ich den schmerzvollen Schrei, als ich den Winters-McHenry-Button in eine Hand stieß, die einen Ring trug, den ich mit Sicherheit schon einmal gesehen hatte.

»Cam?«, fragte Tina, aber ich nickte nur.

»Ja, Tina.« Mein Hals fühlte sich komisch an, als ich es sagte. »So was Ähnliches.« Dann ließ ich sie stehen.

Wenn man als Chamäleon bekannt ist, kann sich das ganze Leben wie ein raffiniertes Versteckspiel anfühlen. Zum Glück kann ich mich sehr gut verstecken. Unglücklicherweise sind meine besten Freundinnen im Finden sehr gut.

»Cam!«, rief jemand in die Dunkelheit. »Wir wissen, dass du da drin bist!« Die Stimme war weich und hatte den Tonfall der Südstaaten. Die Schritte waren leicht, und ich wusste, es gab nur eine Person, die so zierlich war, dass die Dielen nicht knarrten.

»*Oh, Cammie*«, sang Liz, als sie durch den alten Korridor kroch, der (glaube ich) einmal ein ziemlich wichtiger Teil der unterirdischen Eisenbahn war und in neuester Zeit einem weit weniger edlen Zweck diente.

»Ich hab mir schon gedacht, dass wir dich hier finden«, sagte eine andere Stimme. Jetzt tauchte auch meine zweite Mitbewohnerin auf.

Wenn es überhaupt möglich war, dann war Liz in den Sommerferien noch zierlicher und Bex noch hübscher geworden. Liz' blonde Haare waren fast weiß, weil sie den ganzen Sommer lang in der Sonne gelegen hatte. Bex' Akzent war stärker geworden – so wie immer, wenn sie ein paar Monate mit ihren Eltern in England verbracht hatte. (Natürlich schwor sie, dass sie während eines Großteils der Ferien für den britischen Geheimdienst MI6 in einem afrikanischen Land, das namenlos bleiben soll, Überwachungsaufgaben übernommen hatte.) Ihre dunkle Haut glänzte und ihre Haare waren länger als am Anfang des Sommers.

»Ist es nicht ein bisschen früh im Semester, sich zu verstecken, Darling?«, zog mich Bex auf. Ich versuchte zu lächeln.

»Was hat mich verraten?«, fragte ich.

»Unregelmäßige Staubmuster vor dem Eingang«, sagte Bex. »Du wirst nachlässig.« Dann wurde sie still. Unsere starke und tapfere Bex schien plötzlich vor mir zu kauern, als sie merkte, was sie da eben gesagt hatte. »Ich hab nicht gemeint …«

»Schon okay, Bex«, erwiderte ich.

»Du warst *nicht* nachlässig!«, sprudelte es aus ihr heraus.

Dann sprang Liz ein: »Alle reden davon, wie toll du warst, wie … Wenn du nicht dabei gewesen wärst …« Aber sie sprach den Satz nicht zu Ende, was vielleicht das Beste war. Niemand wollte sich vorstellen, wie die Sache hätte ausgehen können.

Bex ließ sich auf einer der umgedrehten Kisten, die sich im Raum stapelten, nieder. »Hast du sie gesehen?«

»Nicht seit dem Tag danach. Sie haben uns zu Mr Solomons Hütte am See gebracht, und dann haben sie Macey zu ihren Eltern gefahren.«

»Sie kommt aber doch zurück, oder?«, fragte Liz.

»Ich weiß nicht«, antwortete ich achselzuckend.

»Sie würden doch nicht wollen, dass sie immer bei ihnen bleibt, oder? Sie würden doch wollen, dass sie hierbleibt, wo sie sicher ist, stimmt's?«

»Ich weiß nicht, Liz«, sagte ich bissiger, als ich es beabsichtigt hatte. »Ich … ich weiß nicht, ob sie zurückkommt«, meinte ich nun freundlicher. »Ich weiß nicht, wer es versucht hat oder warum oder … Ich weiß es einfach nicht«, wiederholte ich leise. Dann drehte ich mich zu dem kleinen runden Fenster und schaute hinaus.

»Sie hat mich eingeladen«, sagte Bex laut. »Vor dem Kongress hat sie mich in unserer Wohnung angerufen und gefragt, ob ich nicht zu ihr kommen will, aber meine Eltern waren zu Hause und ich …« Bex' Stimme verhallte, weil sie wahrscheinlich nicht wusste, dass der Wunsch, mit den Eltern zusammen zu sein, kein Zeichen von Schwäche war. »Ich hätte dabei sein sollen.« Es klang nicht, als ob es ihr leidtäte, einen guten Kampf verpasst zu haben. Es klang eher nach Schuldgefühlen.

»Ich auch«, sagte Liz und sank auf den staubigen Boden. »Als sie anrief, meinte meine Mutter, ich könnte ruhig hinfliegen, aber ich hatte nur noch ein paar Tage mit meinen Eltern zusammen und habe deshalb Nein gesagt.«

Ich nickte. Wir denken alle, dass wir den größten Teil des Jahres zusammen verbringen können, aber bei allen Menschen und vor allem Spionen gibt es keine Garantie für das Erleben des nächsten Tages.

Das war jedenfalls das Wichtigste, was wir in den Sommerferien gelernt hatten.

»Tina Walters sagt, Maceys Eltern haben einen früheren Taucher der Marine angeheuert, der als Sherpa verkleidet ist und Macey im Himalaja verstecken soll, bis die Wahl vorüber ist«, erklärte Liz.

»Tina Walters behauptet viel und täuscht sich meistens«, erwiderte Bex. Aber ich dachte daran, wie nah an der Wahrheit Tina mit ihrer Wahlkampf-Button-Theorie gewesen war. Und ich erinnerte mich, dass Tina jahrelang behauptet hatte, dass es eine Spionage-Eliteschule für Jungs gab und wir alle das bis zum letzten Semester für ein blödes Gerücht hielten. Dann war eine Delegation vom Blackthorne Institut in den Ostflügel gezogen – nur ein paar Meter von der Stelle entfernt, an der wir gerade saßen.

Also schaute ich mich in dem leeren staubigen Raum um und sagte: »Nicht immer.«

Im vergangenen Frühjahr, als wir herausfinden wollten, wer die Typen waren und ob man ihnen trauen konnte oder nicht, hatten wir das Gefühl, dass dies die wichtigste Mission unseres Lebens war. An den Wänden unseres ehemaligen Operations-Hauptquartiers hingen immer noch Tabellen mit Überwachungsdaten und Verhaltensmustern, aber das Klebeband fing inzwischen an, sich von der Wand zu lösen. Die Kabel liefen immer noch in den Ostflügel und erinnerten an die Tage, an denen uns Jungs vom Blackthorne Institut wie eine Mission erschienen – zu einem Zeitpunkt, als Missionen noch darin bestanden, uns auf die wirkliche Welt vorzubereiten, bevor die wirkliche Welt uns auf einem Dach in Massachusetts in die Enge getrieben hatte.

Liz musste meinem Blick gefolgt sein und meine Gedanken gelesen haben, weil ich sie sagen hörte: »Hast du von … du weißt schon … Zach gehört?«

Ich dachte an die Bilder, die vor meinen Augen herumgewirbelt waren, bevor ich das Bewusstsein verlor, und hätte sie beinah gefragt: »Zählen Halluzinationen nach einer Kopfverletzung?« Aber ich fragte sie nicht, weil es erstens sehr gut möglich war, dass ich verrückt wurde, und zweitens »verrückt nach Jungs« für ein Gallagher Girl die gefährlichste Art von Verrücktsein ist.

Stattdessen drehte ich mich zum Fenster und beobachtete die lange Schlange von Limousinen, die den Highway 10 entlangfuhren und meine Mitschülerinnen in die Sicherheit unserer Mauern zurückbrachten.

Das Ganze hatte ich seit Jahren beobachtet – die gleichen Autos, die gleichen Mädchen. Aber im nächsten Moment veränderte sich die Szene total. Dutzende von Geländewagen kamen angerast und fuhren schleudernd in die Straßengräben. Leute sprangen heraus, drehten Satellitenschüsseln und stellten Geräte auf. Hubschrauber kreisten in Schwärmen über der Schule.

»Oh. Mein. Gott«, murmelte ich, starrte weiter und merkte,

dass Bex und Liz sich auf beiden Seiten neben mir ans Fenster drängten. Ich schaute meine besten Freundinnen an, als Sirenen in die Stille hinein zu heulen begannen: »CODE RED CODE RED CODE RED.«

»Was hat das zu bedeuten?«, schrie Liz. Bex und ich lächelten nur.

»Macey kommt nach Hause.«

Kapitel Sechs

Man braucht kein Genie zu sein, um zu wissen, dass die Welt sich innerhalb einer Sekunde verändern kann, und als ich aus dem geheimen Gang hinaus auf den Flur im zweiten Stock lief, konnte ich den Unterschied sehen, hören und spüren. Tagelang waren die Hallen in der eisigen Stille wie Gräber gewesen, aber jetzt schien die Schule in lodernden Flammen zu stehen (ohne natürlich wirklich zu brennen).

Rote Lichter flackerten und zuckten. Zu meiner Rechten glitt ein Poster, das für ein Semester in Paris warb, von oben über eine Darstellung geheimer Schreibtechniken (was eigentlich unnötig war, da es in diesem Monat um unsichtbare Tinte ging).

Wir rannten an der Ver- und Entschlüsselungs-Abteilung vorbei und ich bemerkte, dass sich das Schild an der Tür drehte und jetzt *Kontaktbüro – Eliteuniversitäten* anzeigte.

Unsere Schule tarnte sich so rasant wie ein erfahrener Geheimagent, und während Bex, Liz und ich gegen einen Strom von Achtklässlern liefen, die vor der S+V-Scheune Wache halten sollten, musste ich lächeln. Schließlich war Macey vor dreihundertvierundsechzig Tagen bei einem Code Red zu uns gekommen. Es war also nur passend, dass sie bei einem solchen Manöver zurückkehrte.

Aber als wir durch den Geschichtssaal sprinteten, beobachtete ich, wie Gillian Gallaghers Schwert in dem Fach verschwand, das unseren größten Schatz verbirgt, und es traf mich wie ein Schlag: Der Code-Red-Alarm galt nicht nur Macey.

Er galt Macey *und denjenigen, die mitgekommen waren.*

Die Tür zum Büro meiner Mutter öffnete sich langsam. Ich sah unsere Schulleiterin, die ihr bestes Kostüm trug und eine grimmige Miene aufgesetzt hatte. »Ich schätze, wir sind jetzt dran«, sagte sie.

Als wir das Büro betraten, hörte ich noch andere Stimmen.

»Amerika wartet darauf, einen ersten Blick auf Macey McHenry zu werfen, die mutige junge Frau, die erst vor Kurzem ins Licht der Öffentlichkeit – und in Gefahr – geriet.«

(Offensichtlich gehört zu den Vorsichtsmaßnahmen bei einem Code-Red-Alarm das Aufstellen eines Fernsehers, um das Büro der Schulleiterin wie das einer normalen Schule aussehen zu lassen.)

Bex zappte durch die Programme, bis wir zu dem Bild kamen, das uns alle erstarren ließ.

»Und hier sind wir nun«, sprach eine sehr große Reporterin ins Mikrofon, während sie den vertrauten Highway 10 entlangging, »vor den Toren der Gallagher Akademie für außergewöhnliche junge Frauen, wohin eine außergewöhnliche junge Frau in Kürze nach dem traumatischsten Ereignis ihres Lebens zurückkehren wird. Und die Frage bleibt: Reichen diese Mauern aus, um Macey McHenry zu schützen?«

Endlich hörten die Sirenen auf zu kreischen, und meine Mutter sagte: »Wurde auch Zeit.«

Okay, *das* solltet ihr über Spionage-Schulen wissen: Es geht nicht darum, sie zu verstecken. Echt nicht. Spionage-Schulen haben schließlich Schüler und Schüler haben Eltern und Eltern stellen Fragen. Laut Liz stellen Eltern, die selbst keine Spione sind, gern Fragen wie diese: »*Wo genau* ist denn nun deine Schule?« (Spionage-Eltern neigen eher dazu, in eine Datenbank der Regierung zu hacken, ein Navi in deinem Zahn unterzubringen oder Ähnliches.) Jedenfalls braucht man eine richtige Schule, die man der Welt zeigen kann. Aber wie alles in meinem Leben war meine Schule nicht gerade das, wonach es aussah.

Ich folgte meiner Mutter die breite Treppe hinunter und musste daran denken, dass unsere erste Verteidigungslinie auf dem Prüfstand war, weil die Gallagher Akademie sich zwar nie wirklich versteckt hat (immerhin ist sie ein riesiger protziger Bau), aber auch nicht unbedingt auffallen wollte.

Als Gillian Gallagher aus ihrem Elternhaus eine Schule machte, in der junge Frauen die Tricks der Geheimagenten lernten, die ihnen kein Mann beibringen wollte, war sie so schlau, nicht »Gallagher Akademie – Lehranstalt für Spione seit 1865« auf das Schild zu schreiben. Stattdessen nannte sie das Ganze ein Mädchenpensionat für herausragende Schülerinnen. Unsere Tarnung hatte sich mit der Zeit verändert, aber unsere wichtigste Aufgabe ist die gleiche geblieben: sicherstellen, dass niemand erfährt, wie außergewöhnlich wir tatsächlich sind. Was allerdings bedeutend einfacher ist, wenn nicht zwei Dutzend Fernsehteams jede Bewegung filmen.

In der Eingangshalle hatte ich den Eindruck, dass alle Schülerinnen die Luft anhielten, sobald meine Mutter die Doppeltür aufriss und vors Haus trat.

Die Sonne schien warm von oben herab. Mein Bauch knurrte, und ich fragte mich, was unser Koch uns wohl als Willkommens-Dinner auftischen würde. Aber als ich drei große schwarze Geländewagen durchs Tor fahren sah, verging mir der Appetit.

»Geheimdienst«, flüsterte meine Mutter, als sie in die kurvige Einfahrt bogen. Mir fiel ein, dass nicht einmal Maceys Beschützer wussten, was hinter unseren Mauern tatsächlich vor sich ging.

Ein energisch aussehender Mann mit grauen Sprenkeln im schwarzen Haar stieg aus einem der Fahrzeuge und schritt auf uns zu. »Mrs Morgan? Hughes. Wir haben miteinander telefoniert.«

»Ja«, sagte Mom. »Sie sind der Agent, der für den Personenschutz der Familie McHenry zuständig ist. So nennt man das, nicht wahr?«, fragte sie und legte eine Hand auf ihre Brust, als ob das ein völlig neues Gebiet für sie wäre.

Der Mann lächelte und nickte. »Ja, Madam, machen Sie sich aber bitte keine Sorgen. Unsere Leute sind für Miss McHenrys Sicherheit verantwortlich. Sie werden alle Ihre Fragen beantworten und Sie über alles, was der Dienst von Ihnen benötigt, auf dem Laufenden halten. Niemand erwartet von Ihnen, dass Sie sich wie ein Sicherheitsprofi verhalten.«

»Da bin ich aber erleichtert«, meinte meine Mutter mit total glaubhafter und überhaupt nicht ironischer Stimme.

(Hab ich eigentlich schon mal erwähnt, dass meine Mutter die BESTE SPIONIN ist, die es JE gegeben hat?!)

»Oh, entschuldigen Sie bitte.« Meine Mutter schaute zuerst Mr Hughes und dann uns an. »Darf ich Ihnen Maceys Mitbewohnerinnen vorstellen? Das hier sind Elizabeth Sutton, Rebecca Baxter und meine Tochter Cammie.«

Aber Mr Hughes hörte nicht zu. Er war viel zu sehr damit beschäftigt, mich anzustarren – das Mädchen, das so gut wie nie angestarrt wird.

»Sie waren auf dem Dach?«, sagte er, aber es war keine Frage. Er trat näher und sein Blick erfasste den Verband an meinem Kopf. Dann schaute er mir in die Augen. »Sie brauchen sich überhaupt keine Sorgen zu machen, junge Dame. Wir werden auf Sie *alle* gut aufpassen.«

Ich nickte und schaute weg. Dabei dachte ich an meine Tarnung – es wurde erwartet, dass ich Angst hatte, müde war und jemand anderen für Macey kämpfen ließ.

Dann fiel mir ein, dass die allerbesten Tarnungen immer ein Fünkchen Wahrheit in sich tragen.

»Und das ganze Grundstück ist von einer Mauer umgeben?«, fragte Mr Hughes, als wir über das Gelände gingen.

»Ja«, antwortete meine Mutter.

»Den Blaupausen zufolge gibt es auch Überwachungskameras, stimmt das?« Sein Blick streifte unser efeubewachsenes Mauerwerk.

»Ja«, sagte meine Mutter gelassen. »Ein paar.«

(Tatsächlich gibt es 2.546 Stück, aber aus offensichtlichen Gründen weihte sie ihn nicht ein.)

»Gut«, fuhr der Agent fort. »Unsere Leute können sich bestimmt mit Ihnen beraten, wie man« – er schien seine Worte abzuwägen – »die Dinge ein wenig verschärfen könnte.«

»Ja«, entgegnete meine Mutter mit einem kurzen Blick auf mich, ihre Tochter, die seit Jahren den Wächtern unserer Schule durch die Lappen gegangen war. »Das wäre *äußerst hilfreich.*«

Dann setzte Panik bei mir ein. Der Geheimdienst würde die Dinge »verschärfen«?

»Wie unsere Leute Ihnen letzte Woche vorab schon mitgeteilt haben, werden wir einen unserer Agenten Miss McHenry zuteilen.«

Der Geheimdienst würde uns Leute »zuteilen«?

»Rund um die Uhr«, fügte Mr Hughes hinzu. »Jemand, der mit ihr zum Unterricht geht. Hier wohnt. Sie überallhin begleitet.«

Der Geheimdienst würde uns ständig »begleiten«?

Ich schaute Bex und Liz an und sah, dass sie gegen das gleiche Entsetzen ankämpften wie ich. Unsere Schule hat uns auf vieles vorbereitet, aber *darauf* nicht.

Die Überraschungen fingen aber gerade erst an, denn meine Mutter lächelte und sagte: »Natürlich.«

Der Agent ging voraus, taxierte unser Gelände, unsere Mauern, unser Leben. Am Ende unserer langen (und schwer geschützten) Straße reckten sich Satellitenschüsseln auf neuen Fahrzeugen und machten sich bereit, Bilder unserer Schule um die Welt zu beamen, und mir war klar, dass das Gefährlichste in unserer Geschichte sich gleich vor den Augen dieses Mannes abspielen würde.

Und wir konnten nichts dagegen tun.

»Aha«, machte Mr Hughes, als sich das Tor öffnete und einen letzten Wagen durchließ. »Absolut planmäßig.«

Die Limousine bog in die Einfahrt, aber anstatt sich dem Gebäude zu nähern, blieb sie stehen. Männer in dunklen Anzügen umringten das Auto, und mir fiel ein, wie ein ähnliches Fahrzeug Macey vor einem Jahr zu uns gebracht hatte. Wie bei einem Déjà-vu-Erlebnis stiegen der Senator und Mrs McHenry aus und standen wie eingerahmt vor unserem großartigen steinernen Eingang.

Ich konnte das Geschnatter der Reporter in der Ferne hören. Ihre Kameras blitzten sogar im sommerlichen Sonnenschein.

Dann öffnete sich die Autotür noch einmal.

Und im Nu war das Déjà-vu vorbei.

Vor einem Jahr war Macey aus einem fast identischen Auto gestiegen, aber diesmal trug sie statt der Kampfstiefel ähnliche Ballerinas wie ihre Mutter. Ihren kurzen Rock und den Brillanten im Nasenflügel hatten eine unauffällige schwarze Hose, ein Pullover und eine Armschlinge abgelöst.

Zuerst hoffte ich, dass ihre Kleidung der einzige Unterschied war, aber ich erkannte das Mädchen kaum wieder, das zuließ, dass ihre Mutter sie an sich drückte, das nicht protestierte, als ihr Vater ihre heile Hand ergriff und ihre vereinten Fäuste gen Himmel streckte.

Bex warf mir einen Blick zu, dem *Bist du sicher, dass* du *die Kopfverletzung hast?* abzulesen war. Aber ich beobachtete nur, wie die drei McHenrys sich an den Kameras und Fragen vorbeischoben und in die Schule gingen. Zu uns zurück. Ich dachte an das Mädchen, das im vergangenen Herbst gekommen war und uns im Frühjahr wieder verlassen hatte. Und am Ende dachte ich an die junge Frau, die zitternd an einem See gestanden hatte, und ich fragte mich, welche Tarnidentität sie jetzt annehmen würde.

Als die McHenrys näher kamen, wartete ich darauf, dass Macey meinen Blick erhaschte und mich genauso verschmitzt anlächeln würde wie vor der Suite ihrer Eltern in Boston. Aber als ich vortrat, versperrte mir ein breiter Körper im schwarzen Anzug den Weg.

»Entschuldigung, Miss«, sagte der Personenschützer. Zum ersten Mal hatte mich einer von ihnen für eine Bedrohung gehalten, aber ich betrachtete es nicht als Kompliment.

Hinter mir hörte ich meine Mutter sagen: »Senator, Mrs McHenry, wie schön, Sie beide wiederzusehen! Es tut mir nur leid, dass es unter so beängstigenden Umständen ist.« Sie zeigte auf den Eingang. »Wollen Sie nicht hereinkommen?«

Gerade, als ich das Gefühl hatte, auf die Seite geschubst zu werden, blieb die Prozession stehen. Der Senator von Virginia näherte sich und meinte: »Cammie?« Dann legte er seine großen Hände auf meine Schultern und packte fest zu.

»Danke«, murmelte er, und ich hätte schwören können, dass ihm die Stimme fast versagte. Als er mir in die Augen schaute, spürte ich, dass meine Lippen zitterten. Meine Sicht wurde verschwommen, und ich erinnerte mich plötzlich, wie es sich anfühlte, einen Vater zu haben. Leise sagte der Senator: »Es tut mir so leid.«

Es hätte der schönste, echteste Moment in der Familiengeschichte der McHenrys sein können, wenn Maceys Mutter sich nicht zu ihrer Tochter gedreht und geflüstert hätte: »Geh ins Bad und trag da etwas Concealer auf!« Sie tippte mit dem Finger auf den blauen Fleck in Maceys Augenwinkel. »Es ist wirklich nicht nötig«, sagte sie zu ihrer Tochter, »wie ein ordinärer Schläger herumzulaufen, wenn keine Kameras in der Nähe sind.«

Und damit war der Moment vorbei.

Kapitel Sieben

Was man am Willkommens-Dinner alles lieben kann:

1. Man erfährt, was alle in den Sommerferien erlebt haben (bestimmt viel interessanter an einer Schule, bei der die Wahrscheinlichkeit, dass in den Berichten echte Schießereien vorkommen, ziemlich hoch ist).

2. Die Tatsache, dass Grandma Morgan zwar die besten Brathähnchen und Klöße auf der Welt macht, unser Koch früher aber mal im Weißen Haus gearbeitet hat; jedes Mädchen braucht doch ab und zu eine kleine Crème brûlée.

3. Klatsch und Tratsch.

Aber an diesem Abend konnten weder 1. noch 2. der Nummer 3 das Wasser reichen. Echt nicht.

»Cammie«, sagte Tina Walters, als sie sich auf die Bank mir gegenüber setzte und Liz und Anna Fetterman dabei zusammenquetschte, »ich hab gehört, du hast drei Leute krankenhausreif geschlagen.«

»Tina«, seufzte ich, »das stimmt so nicht.«

Eva Alvarez versuchte, ihren Namen auf Maceys Gipsverband zu schreiben, was schwierig war, weil der Wahlkampfleiter nicht wollte, dass irgendetwas den großen Winters-McHenry-Sticker überdeckte, der bereits auf Maceys Unterarm prangte. Bex zerrupfte eines der Brötchen aus dem Korb auf dem Tisch (obwohl die Lehrer noch nicht erschienen waren, weshalb Essen mit dem Tod bestraft werden konnte – oder zumindest mit zusätzlichen Hausaufgaben in Riesenmengen für das Fach *Kultur und Anpassung*, falls Madame Dabney einen beim Futtern erwischte).

»Und, Macey« – Tina wandte sich schnell dem Mädchen zu, das neben mir saß – »das Gerücht geht um, dass *du* in kompromittierender Stellung mit einem gewissen zukünftigen *First Son* erwischt worden bist.«

Und im Nu war wieder alles mucksmäuschenstill.

Die ganze zweitletzte Klasse drehte sich um und starrte uns an, aber ich setzte einfach fort, was ich bis zu diesem Moment getan hatte: Macey studieren. Der Snob, der ein Jahr zuvor zu uns gekommen war, hätte gespottet. Das Mädchen, dass sich das Pensum von zwei Jahren in fortgeschrittener Verschlüsselung in nur neun Monaten angeeignet hatte, hätte die Augen verdreht. Doch das Mädchen neben mir sagte einfach: »Da braucht aber jemand bessere Quellen.«

Sie hatte zum ersten Mal geredet, und irgendetwas an ihrer Stimme ließ mich aufhorchen – ich fragte mich, ob das Mädchen am See für immer verschwunden war.

»Wer von euch glaubt, dass wir das ganze Semester lang im

Code Red bleiben müssen?«, fragte Anna Fetterman und gab sich keine Mühe, die Angst in ihrer Stimme zu verbergen.

Meine Mitbewohnerinnen und ich sahen uns an. Die Szene, die wir draußen erlebt hatten, spiegelte sich auf unseren Gesichtern wider.

»Du bekommst aber doch einen richtigen Leibwächter, nicht?«, fragte Tina.

Macey nickte.

»Vielleicht weiß der Geheimdienst … Weißt du …« Liz zögerte und redete dann im Flüsterton weiter: »Vielleicht weiß *er* ja Bescheid.«

Aber ich musste immerzu an die Agenten denken, die mich nach dem Vorfall in Boston befragt hatten, und an die Lügen, die ich bereits hatte erzählen müssen, um unser Geheimnis zu wahren.

»Mom würde das nicht wollen«, sagte ich. »Sie wäre nicht damit einverstanden.«

»Das wäre aber ein super Test, oder?«, fragte Bex. Ich konnte heraushören, dass sie sich auf die Herausforderung freute – der Gedanke, die Außenwelt zu uns hereinzuholen, die Gefahr, das Risiko, die Möglichkeit, ein Mitglied des amerikanischen Geheimdienstes irgendwann in diesem Semester bewusstlos zu schlagen.

»Was, wenn du einen Typ als Aufpasser kriegst?«, mischte sich Courtney Bauer ein. »Sind die Leute vom Geheimdienst nicht alle scharfe Typen?«

»Sie sind okay«, meinte Macey lässig, als ob sie schon Schärferes gesehen hätte (und ganz sicher *hat*).

»Was, wenn er Mister-Solomon-scharf ist?«, fragte Anna und wurde rot.

Ich hätte gern mit meinen Freundinnen über einen möglichen (scharfen) Neuling herumgealbert, aber ich musste ununterbrochen daran denken, dass schon viel zu viele Risiken und Gefahren im Spiel waren. Ich dachte an das Gefühl im Bauch, als der Fahrstuhl uns in Boston zum Dach fuhr. Ich hätte das Ganze stoppen können. Wenn ich mich konzentriert hätte, wenn mein Verstand nicht bei einem gewissen Jungen gewesen wäre, hätten sich meine Schule und meine Schwesternschaft immer noch in Sicherheit befunden. Stattdessen saß eine Generation von Genies herum, klaute Brötchen und diskutierte über den theoretischen Bizeps der Person, die unsere ganze Lebensweise gefährden könnte (und ob dieser Typ sich echt, falls nötig, für Macey erschießen lassen würde).

Plötzlich flog die hintere Tür auf, meine Mutter erschien und führte unsere Lehrer durch die Mitte des Saals.

Ich schaute auf das neue Gesicht von Mr Smith, unserem Professor für das Fach *Länder der Welt*, der zu den eher paranoiden Geheimagenten auf unserem Planeten gehört und dies beweist, indem er sich jedes Jahr in den Sommerferien ein neues Antlitz verpassen lässt. Man hörte das Gemurmel von mehr als hundert Teenies, als sie feststellten, dass Mr Smith in diesem Jahr *heiß* aussah.

Und dann ging ein Raunen durch die Menge, weil unsere Lehrer nicht allein waren.

Maceys Eltern schritten durch die Tür – gefolgt von einem Mitglied des amerikanischen Geheimdienstes –, winkten und schüttelten Hände. Ich bin ziemlich sicher, dass der Senator auch Babys geküsst hätte, falls es bei uns welche gegeben hätte.

Es gibt viele erschreckende Dinge für ein Gallagher Girl, aber Leute, die nicht in unsere Schule gehören und einfach so herumlaufen, stehen mit an erster Stelle. Mir war klar, dass wir in einer total veränderten Schule willkommen geheißen wurden.

»Ooh«, meinte Liz neben mir. Mit großen Augen beobachtete sie, wie Maceys Eltern Madame Dabney, Professorin für *Kultur und Anpassung*, begrüßten.

Mir gegenüber am Tisch grinste Bex und wisperte: »Pop-Quiz?«

»Willkommen zurück, meine Damen«, sagte meine Mutter, die vor uns stand. »Ich muss ehrlich sagen, dass ich noch nie so froh war, Sie alle hier zu haben …« Sie schwieg, und ihr Blick schweifte über den Saal, der sich verdunkelte, als die Sonne hinter dem Horizont verschwand. Wenn ich es nicht besser gewusst hätte, hätte ich schwören können, dass die Stimme meiner Mutter zitterte, als sie den Satz zu Ende sprach: »… gesund und munter.«

Niemand flüsterte. Niemand kicherte oder zog jemanden auf. Was Macey (und mir) passiert war, war keine wilde, ausgedachte Geschichte, die wir aus den Sommerferien mitgebracht hatten. Alles war echt. Und keiner hatte Lust zu lachen.

»Wie Sie wissen, richtet sich jetzt alle Aufmerksamkeit auf die Gallagher Akademie«, fuhr meine Mutter fort. Ich musste unwillkürlich zu den McHenrys hinüberschauen, um zu sehen, ob sie verstanden hatten, was meine Mutter damit sagen wollte, aber die beiden nickten nur auf die gleiche ernste Art, die wohl für jeden, dessen Name auf einem Stimmzettel steht, zur zweiten Natur wird.

»Wir müssen lernen, und wir müssen uns weiter bemühen. Wir müssen vorsichtig sein und wir müssen tapfer sein. Und vor allem« – hundert Mädchen schienen sich aufzurichten und im wahrsten Sinne des Wortes der Herausforderung zu stellen – »müssen wir unsere Schwesternschaft schützen.« Ihre Stimme klang jetzt etwas kräftiger. »Und unsere Schwestern.«

Ich bin nicht ganz sicher, wie viele aktive Gallagher Girls es auf der Welt gibt. Hunderte. Tausende. Wir tauchen in der Gesellschaft unter und tun unsere Arbeit, ohne uns ein Wort des Dankes oder ein Lob zu erhoffen. Ich bin vielleicht das Chamäleon, aber in Wirklichkeit muss jedes Gallagher Girl mehr oder weniger unsichtbar sein. Jetzt standen wir jedoch alle im Scheinwerferlicht.

»Es gibt Dinge, die von uns erwartet werden«, fuhr meine Mutter fort. »Deshalb wird es einige Veränderungen geben.«

Leises Gemurmel driftete durch die Menge.

»*Alle* Unterrichtsstunden werden im Schutz des Haupthauses abgehalten.« Der Senator nickte, als ob er das für eine gute Idee hielt, ohne zu begreifen, *wie gut* – immerhin könnten sich für einen Paparazzo mit einem Teleobjektiv ein paar Fragen ergeben, wenn er einen Teenie dabei erwischte, wie er einen perfekten Forenstyl-Flip an einem hundertfünfzig Kilo schweren Hausmeistertyp übte.

»Was unsere augenblicklich am meisten beachtete Schülerin angeht, so werden wir eine strikte *Kein-Kommentar*-Taktik verfolgen«, fuhr Mom fort. »Seien Sie also darauf vorbereitet, meine Damen! Die Leute werden wissen wollen, wie Macey mit allem fertigwird.« Ich schaute das Mädchen neben mir kurz an und fragte mich das Gleiche. »Aber von uns werden sie nichts erfahren.«

Gallagher Girls wahren Geheimnisse – das ist unsere Aufgabe. Aber noch nie war sie für jede Einzelne von uns so wichtig erschienen.

»Und die größte Veränderung ist vielleicht«, sagte Mom langsam, wobei ich das Gefühl hatte, der Raum würde enger werden, »dass wir in diesem Semester ein Mitglied des persönlichen Sicherheitsdienstes der Familie McHenry zum Schutz von Macey an dieser Schule willkommen heißen.«

Ich kann es nicht beschwören, aber sekundenlang schien meine Mutter mir fest in die Augen zu schauen. »Die Sicherheit von Macey McHenry wird nichts daran ändern, was und wie wir lernen. Also begrüßen wir jetzt die Agentin Abigail Cameron, die für den Schutz von Miss McHenry verantwortlich ist.«

Im Saal entstand Lärm und Bewegung, aber in meinem Kopf wurde es plötzlich ruhig und still. Eine Frau mit langen dunklen Haaren und wunderschönen grünen Augen war im Hintergrund aufgetaucht.

»Zufälligerweise ist Mrs Cameron eine Absolventin der Gallagher Akademie und darum *hervorragend* geeignet, Macey die bestmögliche Sicherheit zu gewähren.«

Da ich beim *Lippen lesen* im letzten Semester die Beste war, wusste ich, dass Sätze wie »Wow, ist die hübsch!« und »Hey, wer ist *das* denn?« durch den Raum schwirrten.

Ich weiß, dass jedes Gallagher Girl im großen Saal auf die Frau, die ihn durchquerte, schaute und dachte: *Das ist unsere Schwester*. Ich nicht. Ich konnte sie nur anstarren und »Tante Abby?« wispern.

Kapitel Acht

Wenn man vier Jahre lang mit einer britischen Geheimagentin-in-der-Ausbildung gelebt hat, die mit Begeisterung spontane Angriffe und Selbstverteidigungs-Manöver übt, während man sich die Zähne putzt, haut einen so schnell nichts um. Deshalb halte ich mich für einen Menschen, den nichts aus der Ruhe bringt. Besser gesagt – fast nichts.

Ich überlegte, wann ich die Schwester meiner Mutter zum letzten Mal gesehen hatte. Es war noch vor der Zeit gewesen, als Mom die CIA verließ, noch bevor ich an diese Schule kam. Noch vor … Dad. Aber da war sie jetzt, keine zehn Meter von mir entfernt und kam näher.

Ihre Haare waren länger als früher und fielen ihr über die Schultern. Sie war immer noch schlank und athletisch, schien aber geschrumpft zu sein. Dann kam mir der geniale Gedanke, dass *ich* ja inzwischen vielleicht gewachsen war.

»Hey, Cam«, flüsterte Bex mir zu und stieß mich an, »ist Cameron nicht der Mädchenname deiner Mutter?«

»Ja«, murmelte ich, als wäre es reiner Zufall.

Ich beobachtete jede Bewegung, als sich meine Tante an den Tischen vorbeiwand. Sie war die Verkörperung von allem, was jedes Mädchen im Saal einmal werden wollte.

»Sie kommt mir irgendwie ... bekannt vor«, sagte Liz, und ich konnte regelrecht hören, wie ihr Verstand arbeitete, wie sich die Rädchen drehten, als ob das Gesicht meiner Tante ein Code wäre, den sie knacken wollte.

Dann zwinkerte Tante Abby mir zu und für Bex war alles klar. »Mich laust der Affe!« Sie zeigte von meiner Tante auf meine Mutter, als wollte sie sich jedes Detail ihrer unverkennbaren Ähnlichkeit einprägen. »Das ist deine Tante –«

»Pscht!« Ich schnitt ihr das Wort ab. Schließlich saß Tina Walters kaum einen Meter von uns entfernt, die McHenrys und Mr Hughes standen vor uns, und es gab noch mindestens ein Dutzend Gründe, warum dieser Moment nicht der beste war, um den Stammbaum der Familie Cameron zu besprechen. Außerdem war ich sowieso schon viel zu berühmt-berüchtigt, was einem Chamäleon eigentlich nicht zusteht.

Meine Mutter war die Schulleiterin.

Ich hatte eine illegale (Beinah-) Beziehung zu einem normalen Typen, der im vergangenen Dezember meine Geheimoperationen (im wahrsten Sinne des Wortes) zerschmettert hatte.

Und in der Woche, in der die Abschlussprüfungen stattfanden und mich ein paar Schülerinnen zum letzten Mal sahen, hatte ich mitten in der Eingangshalle einen Jungen aus der konkurrierenden Spionage-Schule geküsst!

Ich war nicht mehr *unsichtbar*. Und irgendetwas sagte mir, dass es die Sache nicht besser machte, wenn meine Tante Maceys Personenschutz übernahm. Echt nicht. Auch wenn ich

Tante Abby jahrelang nicht gesehen hatte, stand fest, dass sie alles andere als unsichtbar war.

»Cam«, sagte Liz mit sanfter Stimme. »Du siehst aus, als hättest du ein Gespenst gesehen.«

Tante Abby stand endlich vorne und ich saß da und hatte das Gefühl ... vielleicht tatsächlich einen Geist gesehen zu haben.

Fragen, die ich nie wieder hören wollte:

1. Hatte Zach in den Sommerferien angerufen/geschrieben/ das Haus meiner Großeltern verwanzt oder war er dort eingebrochen? (Weil die Antwort *Nein* war.)

2. Wusste ich, dass der Nachrichtensender den Überfall in Boston nur teilweise zeigte, wobei aber zufällig zu sehen war, wie der Wind meinen Rock hoch, nein, *sehr* hoch wehte? (Weil ich die Antwort leider nicht vergessen konnte.)

3. Fand ich, dass Mr Smith mit seinem neuen Gesicht irgendwie ... scharf aussah? (Weil *Smith* und *scharf* zwei Wörter waren, die ich nicht zusammen hören wollte.)

4. Wo hatte Tante Abby gearbeitet? (Weil ich es nicht wusste.)

5. Was hatte Tante Abby getan? (Weil ich es nicht einmal erraten konnte.)

6. Warum verließ eine Agentin auf dem Höhepunkt ihrer Karriere den Außendienst, um Maceys Personenschutz

zu übernehmen, wenn es doch sicher eine Menge älterer Agentinnen gab, die gern alles fallen ließen, um eine der ihren zu schützen? (Weil ich nicht darüber nachdenken wollte.)

»Ach, komm schon, Cam«, bettelte Liz am nächsten Morgen, weil sie der Mangel an interessanter Info plagte. »Sie ist deine *Tante!* Du *musst* doch was wissen!«

Ich zuckte nur mit den Achseln. »Liz, sie ist eine verdeckt ermittelnde Geheimagentin – du weißt, was das heißt.«

Liz starrte mich verständnislos an, aber Bex nickte. Schließlich waren ihre Eltern beim britischen Geheimdienst MI6 beschäftigt. Also wusste sie Bescheid. Besser als alle anderen.

»Glaubst du, dass sie unterrichten wird?« Liz packte ihr Projekt für Mr Mosckowitz, das ihr Extrapunkte bescheren würde, als hinge ihr Leben davon ab (was zutraf, weil sie Liz war). »Ich hab versucht, mich in Langley einzuhacken, aber alles über deine Tante ist geheim. *Echt* geheim – *au!*«, schrie Liz.

Ich weiß nicht, wie sie es geschafft hatte, aber Elizabeth Sutton, bestimmt das klügste Gallagher Girl in der Geschichte der Gallagher Girls, war es gerade gelungen, sich das Kinn mit einer Büroklammer zu ritzen.

Bex lachte. Liz blutete (aber nur ein bisschen). Mein Magen knurrte, und ich spürte, wie meine innere Uhr tickte und mir sagte, dass es Zeit war. Also griff ich nach meiner Tasche und rief: »Los! Wir wollen nicht zu spät kommen.«

Ich war schon im Flur, als mir auffiel, dass eine von uns fehlte.

»Macey!«, brüllte ich und stieß die Tür zum Bad auf. »Wir gehen runter in den –« Aber ich konnte nicht zu Ende reden, weil Macey McHenry, die so perfekt aussah, dass selbst ein Supermodel Minderwertigkeitskomplexe bekam, sich *im Bad* umzog. Und dann sah ich, warum.

Eine Körperhälfte war mit lilablauen und grünen Flecken übersät. Ihr Ellbogen war fast auf seine doppelte Größe angeschwollen. Ich brauchte sie nicht wimmern zu hören, um zu wissen, wie weh ihr alles tat. Dabei verriet ihre Miene, dass es sie vor allem schmerzte, so verwundbar auszusehen. Maceys Stolz war das Einzige, was unversehrt geblieben war, und den würde sie mit allen Mitteln verteidigen.

»Cam!«, schrie Bex draußen. »Wir haben Hunger!«

»Geht schon!«, rief ich zurück. Macey und ich starrten uns immer noch im Spiegel an. »Macey lässt mich ohne Lidstrich nicht ziehen.« Es hatte wohl ziemlich glaubhaft geklungen, weil die Tür ins Schloss fiel. Stille trat ein, und Macey drehte sich um.

Wortlos hielt sie mir ihren Arm hin, und ich zog langsam den Ärmel über ihren Gipsverband. Sie schaute wieder in den Spiegel, sah mich aber nicht mehr an und sagte: »Niemand erfährt was davon.«

Bex hätte es für cool gehalten. Liz hätte ausgerechnet, wie viel Kraft nötig war, um diesen Schaden anzurichten. Für solche Blutergüsse bekamen wir in S+V auf einen Schlag so viele Extrapunkte wie normalerweise in einer Woche. Aber Macey wollte so etwas nicht hören.

Was gut war, denn mir war nicht danach, so etwas zu sagen. Ich half ihr in den Schulpullover und fragte mich selbst:

7. Glaubte ich, dass Macey okay war? (Weil ich anscheinend die Einzige war, die diese Frage stellte.)

Irgendwann in der Nacht hatte die Schule sich wieder in ihren ursprünglichen Zustand zurückverwandelt. Der Code Red war vorbei. Der Senator und sein Gefolge waren verschwunden. Bücherregale und Gemälde hatten sich gedreht, und im Geschichtssaal glänzte Gillys Schwert wieder in seinem Fach.

Alles schien richtig zu sein. Alles schien normal zu sein. Dann ertönte eine Stimme, die ich seit Langem nicht mehr gehört hatte: »Hey, Krümel.«

Meine Mutter nennt mich *Kleine*. Meine Freundinnen nennen mich *Cam*. Zach nannte mich *Gallagher Girl*. Aber kein Spitz- oder Kosename hatte jemals die gleiche Wirkung auf mich wie *Krümel*. Ich verspürte plötzlich den Drang, mich blitzschnell um die eigene Achse zu drehen und Zuckerwatte zu essen, bis mir schlecht würde. Ich sagte jedoch nur: »Hi.«

»Da ist aber jemand groß geworden.«

»Ich bin sechzehn«, erklärte ich, was wahrscheinlich das Blödeste aller Zeiten war, aber es war mir einfach so rausgerutscht. Selbst Genies haben das Recht, ab und zu blöd zu sein. Ich merkte, dass Bex und Liz aus dem großen Saal kamen und sich neben mich stellten. »Das hier ist –« Ich schaute sie an und fragte mich, warum sie fast genauso wie früher aussah, wenn in meinem Leben doch inzwischen fast alles anders war. »Tante Abby?« Es kam raus wie eine Frage, obwohl es keine war.

»Also, *Sie* müssen eine von den Baxters sein«, erklärte meine Tante und schaute Bex an.

Bex strahlte. Es spielte keine Rolle, dass die beiden sich noch nie zuvor gesehen hatten. Meine Tante wartete nicht darauf, jemandem vorgestellt zu werden. Was gut war, weil Bex auch nie auf irgendetwas wartete. »Wie geht es Ihrem Vater?«

»Super«, sagte Bex grinsend.

Tante Abby zwinkerte. »Tun Sie mir einen Gefallen und richten Sie ihm aus: Weihnachten in Dubai macht ohne ihn keinen Spaß!«

Neben mir konnte ich fast spüren, wie sich die Rädchen in Bex' Hirn wie verrückt drehten, um rauszukriegen, was es mit Dubai im Dezember auf sich hatte. Aber Tante Abby verriet nichts und wandte sich stattdessen an Liz.

»Oooh«, machte sie, als sie den Schnitt an Liz' Kinn näher betrachtete. »Büroklammer?«

Liz' Augen wurden noch größer. »Woher wissen Sie das?«

Tante Abby zuckte mit den Achseln. »Ich hab schon *einiges* gesehen.«

Ich dachte an Mr Solomons Hütte. Wenn er und meine Mutter über Dinge sprachen, die sie im Leben schon gesehen und getan hatten, wollte ich mich verstecken und keine Einzelheiten hören. Aber wenn Tante Abby redete, hingen wir an jedem Wort.

»Hat Mr Fibs noch was von seinem HautNeu im Labor?«, fragte meine Tante.

»Ist das nicht ein bisschen … *stark?*«, fragte Liz – eine totale Untertreibung, da ich weiß, dass die Gallagher Akademie HautNeu entwickelt hatte, nachdem eine Achtklässlerin in einen Behälter mit flüssigem Stickstoff gefallen war.

Tante Abby hob die Schultern. »Nicht, wenn man es mit ein wenig Aloe vermischt. Reiben Sie die Stelle damit ein, dann bleibt mit Sicherheit keine Narbe zurück.«

»Echt?«, fragten Bex und Liz gleichzeitig.

Tante Abby ging ins Licht. »Sieht das wie das Gesicht einer Frau aus, die eine Messerstecherei in Buenos Aires überlebt hat?«

Alle Mädchen in der Eingangshalle (inzwischen waren es eine ganze Menge) reckten die Hälse, um ihre makellose Porzellanhaut zu bewundern.

»Das ist keine gute Idee, Miss McHenry«, sagte meine Tante und überraschte damit ihre neu gewonnenen Fans. Ich blickte hinter mich und sah, dass Macey nach dem Türgriff des Eingangs langte. Tante Abby hatte es also gespürt, ohne sich umdrehen zu müssen. Und im Nu war ihre Haut nicht mehr das Erstaunlichste an ihr.

»Ich frühstücke nie«, meinte Macey. (Was eine Lüge war, aber ich schwieg.) »Ich geh spazieren.«

Beim Wort »frühstücken« schien den Mädchen im Foyer einzufallen, dass sie einen ganzen Sommer lang ohne Zugriff auf die belgischen Waffeln unseres Kochs verbracht hatten. Sie entfernten sich, eine nach der anderen, bis nur noch ich, meine drei allerbesten Freundinnen und die Frau übrig waren, die mir mit sieben Jahren beigebracht hatte, wie man mit einem Sprungseil einen Mann vorübergehend lähmt.

Sie trat näher an Macey heran. »Der Wachdienst hat heute früh zwei Hubschrauber in der Gegend bemerkt – wahrscheinlich Paparazzi, die Sie fotografieren wollen –, aber bis wir sicher sind …« Sie stellte sich zwischen ihren Schützling und die Tür. »Sie können nicht raus. Tut mir leid.« Die beiden letzten Sätze fügte sie etwas später hinzu. Wie ein nachträglicher Einfall.

»Sind Sie nicht deshalb hier?«, erinnerte Macey meine Tante und trat wieder an die Tür, aber Tante Abby hielt sie mit gelassener Miene auf.

»Ja, deshalb bin ich *hier*.« Sie zeigte auf die Stelle zu ihren Füßen und lehnte sich an die Tür. Wenn eine andere Frau das an einem anderen Ort getan hätte, wäre es nur eine lässige Geste gewesen, aber als ich erst Macey und dann meine Tante ansah, spürte ich, wie stark beide waren. Und wie klug. Und dass beide es gewohnt waren, die Schönste im Raum zu sein. Das gleiche Gefühl hatte ich schon einmal. Damals waren Dr. Fibs' Labor und zwei Chemikalien im Spiel gewesen, die beide kraftvoll und explosiv sind und es gar nicht mögen, gemeinsam unter Druck zu stehen.

»Regel Nummer eins, meine Damen«, sagte meine Tante. »Wird man unaufmerksam … wird man geschnappt.«

Sie machte ein paar Schritte. Bex packte mich am Arm und formte tonlos mit dem Mund: »Verdammt tough!«

Ohne sich umzudrehen, rief Tante Abby: »Ich weiß.«

Der restliche Vormittag verlief irgendwie verschwommen.

Macey hatte Unterricht bei Mr Smith – *Länder der Welt* – und saß deshalb neben mir, während er fünfundvierzig Minuten lang über die Vor- und Nachteile der Schönheitschirurgie in von der CIA genehmigten Einrichtungen sprach. (Offenbar ist die Qualität sehr hoch, aber da diese Einrichtungen technisch nicht »existieren«, ist der Papierkram mit der Krankenversicherung der reinste Albtraum!)

Madame Dabneys Stunde bestand aus einem schön entspannenden Auffrischungskurs über grundsätzliche Dinge, wie zum Beispiel die Identifizierung jedes einzelnen Teils eines zwanzigteiligen Platzgedecks (und wie man jedes Utensil als Waffe einsetzen kann).

Alles schien vollkommen normal zu sein, als wir die große Treppe hinuntergingen und Liz das Labor von Dr. Fibs im Untergeschoss ansteuerte.

»Tschüss!«, rief sie uns zu. Es war okay. Ich hatte mich an den Gedanken gewöhnt, dass Liz eine Laufbahn in der Forschung anstrebte, während Bex und ich für ein Leben im Außendienst trainierten.

Erst als ich Macey sagen hörte: »Ich seh euch beim Mittagessen!«, fiel mir ein, dass sie im Vergleich zu uns immer noch – lehrstoffmäßig – im Rückstand war.

Während sie sich auf den Weg zum Verschlüsselungs-Kurs des ersten Jahrgangs machte, den Mr Mosckowitz unterrichtete, betraten Bex und ich den schmalen Gang unter der großen Treppe und stellten uns vor einen Spiegel mit Goldrahmen. Ein dünner Laserstrahl tastete unsere Gesichter ab und prüfte unsere Netzhautbilder. Die Augen auf dem Gemälde hinter uns blitzten grün, und ein Spiegel glitt zur Seite und offenbarte den Fahrstuhl zu den geheimsten Klassenzimmern der geheimsten Schule im ganzen Land.

Aber ich war nicht aufgeregt. Ich dachte nicht an ein Pop-Quiz oder daran, wie Mr Solomon damals ausgesehen hatte, als wir *Observierung in der Wildnis* übten und er die Ärmel hochkrempelte.

Stattdessen sagte ich nur: »Bex« und wartete auf das »Ja« meiner Freundin.

»Ich mach mir Sorgen um Macey.«

»Warum?«, fragte Bex und legte ihre Handfläche auf das Glas im Fahrstuhl. »Es scheint ihr doch gut zu gehen.«

Ich legte meine Hand neben die meiner besten Freundin. »Das ist es ja gerade.«

Bex ist schwarz und ich bin weiß. Sie ist schön und ich nicht. Sie ist in London aufgewachsen, und ich habe meine Sommerferien auf einer Ranch am Ende der Welt verbracht. Sie ist zur

Kämpferin geboren und ich zur Flüchtenden. Aber so, wie sie mich ansah, wurde ich daran erinnert, dass Bex und ich uns in allen wirklich wichtigen Dingen ähneln.

»Ich weiß etwas, das dich aufmuntern wird«, sagte sie.

»Was denn?«, fragte ich, als der Fahrstuhl sich rumpelnd in Bewegung setzte. Meine Handfläche wurde heiß, und ich nahm sie schnell vom Glas. Ein merkwürdiges Licht breitete sich um uns aus, und in dem unheimlichen lila Schein lächelte meine beste Freundin.

»Gleich werden wir das zweite Untergeschoss sehen.«

Kapitel Neun

Wenn man das erste Gallagher Girl seit Gilly ist, das den geheimen Gang hinter dem Korridor im dritten Stock entdeckt hat, in dem sich Münzen der Südstaaten aus dem Bürgerkrieg im Wert von einer Million Dollar befinden, glaubt man, dass einen das schlossartige Schulgebäude nie mehr überraschen kann.

Eine gewaltige Täuschung.

Der Fahrstuhl stoppte. Ich wusste, dass die Tür gleich zur Seite gleiten und den geheimsten Ort, den wir je gesehen hatten, freigeben würde. Ich hielt den Atem an und wartete. Dann ruckte die Kabine und schleuderte uns gegen die Tür.

»Cam«, sagte Bex, als wir noch mindestens dreißig Meter in die Tiefe sausten. »Soll das –« Und dann rasten wir weiter nach unten.

Wir blieben stehen. »DNA VORWEISEN, BITTE«, verlangte eine mechanische Stimme. Ein fingerdicker Schlitz tauchte in der Stahlwand auf. Also steckte ich meinen Zeigefinger hinein.

»Autsch!«, schrie ich. Eine kleine Nadel hatte mich gestochen. Dann verschwand sie und eine neue Nadel erschien. Ein kleiner Blutstropfen blubberte aus meiner Fingerspitze.

»Kommt nicht infrage!« Bex schüttelte energisch den Kopf. (Und so erfuhr ich, dass das Mädchen, das einmal damit angab, in den Osterferien in Kairo einen Waffenhändler bei einem Schwerterkampf geschlagen zu haben, Angst vor Nadeln hatte.)

»DNA VORWEISEN, BITTE«, verlangte die Stimme wieder und klang diesmal etwas weniger geduldig, und Bex steckte in dem Moment ihren Finger in den Schlitz, als der Fahrstuhl wieder stehen blieb.

Die Tür ging auf ... und mir wurde klar, dass nichts im ersten Untergeschoss mich auf das zweite Untergeschoss vorbereitet hatte.

Vor fast genau einem Jahr hatten Bex und ich zum ersten Mal das erste Untergeschoss gesehen. Die Wände bestanden aus Edelstahl und Milchglasscheiben. Unsere Schritte hallten. Wenn wir hinunterfuhren, hatte ich immer einen Pullover dabei. Alles war kühl und modern. Es war, als ob man die Zukunft betrat – unsere Zukunft. Aber das zweite Untergeschoss war ganz anders.

Ringsum öffneten sich weitere Fahrstuhltüren, und andere Mädchen mit blutenden Fingern traten auf die breiten knarrenden Holzdielen.

Die Decke war ein Puzzle aus großen Steinfliesen und schweren Balken, und als ich die Hand ausstreckte, um die Felswand zu berühren, stellte ich fest, dass es weder Fugen noch Mörtel gab und nur eine unbekannte Menge Kalkstein und Erde uns von der Außenwelt trennten.

Meine Mitschülerinnen schauten sich staunend um und sahen in dem schwach beleuchteten Raum den Mann nicht, der aus dem Schatten trat und »Willkommen!« sagte. Er drehte sich um und ging vor uns den gewundenen Flur entlang, der weiter nach unten führte. »Meine Damen, ich möchte Ihnen wärmstens empfehlen, gut aufzupassen«, ermahnte uns Mr Solomon. »Ich begleite Sie nur am ersten Tag.«

Korridore zweigten vom spiralförmigen Flur ab und bildeten ein steinernes Labyrinth. Ein breiter Gang war mit einem einfachen LAGER gekennzeichnet, aber an den Türen, die sich im Flur aneinanderreihten, waren Schilder mit allen möglichen Aufschriften, zum Beispiel F, OPERATIONEN UNTER FALSCHER FLAGGE; H, HITLER, ATTENTATS-VERSUCHE. Ich hatte oft von Geheimnissen gehört, die hinter Felsen verborgen sind, das aber noch nie mit eigenen Augen gesehen.

Wir gingen ungefähr fünf Minuten lang. So kam es mir jedenfalls vor. Die Luft war feucht und kühl, und ich hatte das Gefühl, dass die Temperaturen sich mitten im Winter oder im Sommer um höchstens drei Grad unterscheiden würden.

Endlich blieb Mr Solomon stehen. Als wir auf einen Steinboden traten, blickte ich zurück und hatte plötzlich Mitleid mit jedem feindlichen Agenten, der so dumm wäre, zu versuchen, in dieses Lager geheimen Wissens einzudringen. Schließlich lächelte ich und fragte mich, was sich um alles in der Welt (oder darunter) im dritten Untergeschoss befinden mochte.

»Geheimoperationen.« Mr Solomon schritt durch eine Doppeltür und betrat einen Raum, der zweimal so groß war wie die Bibliothek im Gebäude über uns. Wie in der Bibliothek umrundete auch hier eine Empore den Raum und altmodische Holztische waren u-förmig aufgestellt.

»Der Dienst im Verborgenen …«, sagte unser Lehrer, während die ganze GehOp-Klasse sich eilig Plätze suchte. »Das ist ein Leben, in dem man da ist, wo man nicht sein soll, und tut, was man nicht tun soll.« Vorn stand ein Stuhl, aber anstatt sich hinzusetzen, packte er die Rückenlehne mit beiden Händen – eine vertraute Geste. »Es bedeutet, hineinzukommen, meine Damen.« Er schaute sich suchend um. »Und es bedeutet vor allem, wieder herauszukommen.«

Ich dachte an Hotels und Wäscherutschen, und eine Sekunde lang brummte mein Schädel. Und als unser Lehrer sagte: »Exfiltrationen definieren sich durch zwei Faktoren, Miss Baxter. Welche?«, wurde mir ein bisschen schwindlig.

»Sie finden auf feindlichem Gebiet statt«, meldete sich Bex.

»Korrekt«, erwiderte Mr Solomon und machte einen Schritt. Er schrieb Bex' Antwort auf eine uralte Schiefertafel. »Das ist *ein* Kriterium einer Exfiltration. Miss Fetterman, was ist ein zweites?«

Während wir auf Annas Reaktion warteten, hörte ich die Kreide an der Tafel. Alles war hier lauter, vor allem die klare helle Stimme, die meinte: »Das erfährt niemand.«

Alle Köpfe wandten sich um. Ich hatte noch nie erlebt, dass jemand einen Raum so mühelos beherrschte, wie Tante Abby es tat, als sie sagte: »Sie haben mich angerufen, Joe?«

Oh. Mein. Gott.

Vielleicht war es die Spionin in mir … oder das Mädchen in mir … oder die *Nichte* in mir …, aber als Tante Abby eine Hand auf ihre Hüfte legte, hätte ich schwören können, dass sie etwas tat, was kein Gallagher Girl jemals gewagt hätte: Sie flirtete mit Mr Solomon!

»Mrs Cameron, ich freue mich, dass Sie kommen konnten.

Die Klasse …« Er zeigte auf uns. Tante Abby winkte mit zwei Fingern.

»Hi, Mädchen.«

»… und ich wollten gerade über Exfiltrations-Operationen sprechen.« Er ließ die Kreide in den Behälter fallen und klatschte zweimal in die Hände. »Ich dachte mir, Sie könnten bestimmt etwas Ungewöhnliches zum Thema beisteuern.«

»Oh, Joe«, sagte Tante Abby lächelnd, »Sie wissen genau, wie man einer Frau eine Freude macht!«

Sie ging um das U der Tische herum, betrachtete die Wände, die Bücherregale, alles im zweiten Untergeschoss, und mir wurde klar, dass ich es zum ersten Mal sah, meine Tante aber nach langer Zeit *wieder*. Ob es nach allem, was sie seit ihrem Schulabschluss gelernt hatte, wohl anders auf sie wirkte?

»Wie ich gerade sagte«, fuhr Mr Solomon fort, »sind Exfiltrationen kritische Vorgänge. Und sie sind schwierig –«

»Ganz besonders in Istanbul«, fügte Tante Abby leise hinzu, und unser Lehrer lachte. Es klang wie ein *Insider*, obwohl Spione solche Witze eigentlich nicht machen! Zu viele Informationen sind *inside*, wo sie auch bleiben sollten. Aber das Verrückteste war nicht, dass Tante Abby einen Witz gemacht hatte … noch nicht einmal, dass sie flirtete. Das Verrückteste war, mit seinem Lächeln und Lachen flirtete Mr Solomon zurück!

Da saßen wir also in einer Höhle aus Felsen und Geheimnissen, und doch fühlte es sich an, als hätte meine Tante die Sonne mitgebracht, die eine Seite meines Lehrers beleuchtete, welche ich bis jetzt nicht kannte.

Zum ersten Mal seit Wochen tat mir der Kopf nicht mehr weh. Boston war nur eine Stadt in Massachusetts.

Ich wäre glücklich und zufrieden gewesen, den ganzen

Tag – eine ganze Woche lang – so dazusitzen. Ein ganzes Jahr. Aber dann gingen die Lichter aus. Hinten im Raum wurde ein altmodischer Projektor eingeschaltet und ein Bild tauchte im Dunkeln auf.

»Ich bin sicher, dass Sie das alles schon einmal gesehen haben«, sagte Mr Solomon.

Aber ich hatte es nicht gesehen. Es lief mir eiskalt über den Rücken, als ich wusste ... ich hatte es erlebt.

Die ganze Klasse schien den Atem anzuhalten, während der Film eine Szene aus verschiedenen Blickwinkeln, mit verschiedenen Kameras und von verschiedenen Kameraleuten aufgenommen zeigte. Einen Teil des Films hatte fast jeder Fernsehsender im Land in einer beinahe ununterbrochenen Schleife gezeigt, aber wie bei den meisten Dingen, die Gallagher Girls tun, gehörte noch mehr zu der Story, und nun sahen wir die unzensierte Fassung.

»Was ich Ihnen jetzt gleich zeigen werde, ist das Beispiel einer Exfiltrations-Operation, wie sie im Buche steht – in einem belebten Wohngebiet bei Tageslicht.« Ich dachte, Mr Solomon würde mich ansehen. Ich erwartete, dass meine Tante mich fragen würde, ob ich okay wäre. Ich wollte, dass jemand zugab, dass dies keine Lektion war – es war der schwerste Tag meines Lebens. Aber die einzige Veränderung in der Stimme unseres Lehrers war eine plötzliche Pause, bevor er weiterredete. »Zu unserem Glück hat es nicht funktioniert.«

Dann wusste ich, dass wir nicht da waren, um zu erfahren, was Macey und ich richtig gemacht hatten. Wir waren an jenem Tag auf dem Dach *nicht* die erfahrenen Agentinnen gewesen. Wir waren nur zwei Mädchen, die Glück gehabt hatten, und Glück ist keine Fertigkeit, die man sich aneignen kann.

Staub tanzte im Licht des Projektors. Keiner sagte: »Wenn das zu viel für dich ist, Cammie, kannst du rausgehen!« oder »Miss Morgan, was haben Sie sich dabei gedacht?«

Ich war nur eines der Mädchen im Raum, nicht das Mädchen auf dem Dach. Die Geräusche waren hier anders. Es gab nur die Stimme meines Lehrers. Die Beantwortung von Fragen. Die gedämpften Rufe der Kameraleute, die sich um die besten Einstellungen bemühten.

Aber in meinem Kopf sah ich das Schwirren kreiselnder Rotoren. Ich hörte Stöhnen und Tritte, das ferne Rauschen des Windes, der vom Hafen herüberwehte. In meinem Kopf war der Film klarer und langsamer, als Preston in die Tiefe sauste und in Sicherheit war. Und dann sah ich, wie eine maskierte Gestalt den Sohn eines potenziellen Präsidenten ignorierte, auf meine beste Freundin zeigte und die beiden Wörter sagte, die ich bis dahin nicht wirklich mitbekommen hatte.

Der Raum war dunkel.

Die Mauern um uns herum waren dick.

Und ich bin ziemlich sicher, dass nur meine Tante mich flüstern hörte: »Schnappt *sie!*«

Kapitel Zehn

Es gibt Sachen, die Spione oft mit sich herumtragen: Krimskrams in den Jackentaschen, gefälschte Pässe, Waffe Schrägstrich Kamera Schrägstrich Haarzubehör. Aber die schwersten Dinge sind, glaube ich, die Geheimnisse. Die können einen ertränken, wenn man sie lässt. An jenem Tag im zweiten Untergeschoss wusste ich, dass das Geheimnis, das ich kannte, so schwer war, dass ich vielleicht nie wieder auftauchen würde.

Als der Unterricht vorbei war, gingen die Lichter wieder an, und ich lauschte, wie die Hälfte meiner Mitschülerinnen durch die Gegend schwirrte, um alles zu erkunden. Ich beobachtete Mick Morrison, die Mr Solomon in einer Ecke mit Fragen über die Marciano-Theorie und ihren richtigen Einsatz in städtischer Umgebung bombardierte, aber der Rest der Klasse gruppierte sich um Tante Abby, die ihnen auf sehr dramatische Art vorspielte, wie sie einmal in der Regenzeit einen Kernphysiker aus Taiwan geschmuggelt hatte.

»Dann hab ich zu ihm gesagt: *Ich weiß, dass es eine Rikscha ist, was aber noch lange nicht bedeutet, dass sie nicht schwimmen kann!*«, erzählte Tante Abby.

Tina und Eva brachen in schallendes Gelächter aus, aber ich wusste, dass mich Tante Abby aus dem Augenwinkel heraus beobachtete, als ich die lange, sich nach oben windende Rampe betrat, die zum Gebäude über uns führte. Ich wusste, dass sie lauschte, als Bex neben mir »Mach langsam!« sagte, als ob ich jemals schneller sein könnte als sie. (Unmöglich!)

Aber ich ging weiter und dachte an die Worte, denen ich gelauscht, die ich aber nicht *gehört* hatte. Ich dachte an die Gleichgültigkeit der Angreifer, als Preston vom Dach fiel und so gerettet wurde – an all die Dinge, die ich beobachtet, aber nicht *gesehen* hatte.

»Ich war ein Idiot!«, stieß ich hervor.

»Du warst fantastisch«, erwiderte Bex, und bei jedem anderen Mädchen an jeder anderen Schule hätte das wie eine Schmeichelei geklungen. Aber nicht bei diesem Mädchen und an dieser Schule. Aus Bex' Mund war es eine unbestrittene Tatsache, und sie wäre bereit gewesen, es mit jedem aufzunehmen, der das Gegenteil behauptete.

»Nur zwei Mädchen wären dazu fähig gewesen«, sagte sie und hob eine Augenbraue. »Und du bist eine davon.«

Als wir am Fahrstuhl ankamen und die Kabine betraten, fiel mir ein, dass es zwei Kategorien von Geheimnissen gibt: solche, die man für sich behalten *will*, und solche, die man für sich behält, weil man sich *nicht traut*, sie preiszugeben.

Ich hätte Bex anschauen können. Ich hätte leiser sprechen können, und in diesem winzigen Raum, dreißig Meter unter der Erdoberfläche, hätte ich sicher sein können, dass uns keiner belauscht.

Aber meine Mutter und Mr Solomon waren die besten Spione, die ich kannte, und sie hatten Macey nichts gesagt. Sie hatten auch mir nichts gesagt.

Als die Tür zur Seite glitt, hörte ich die Schritte der Mädchen, die die Treppe herunterkamen. Essensdüfte wehten aus der großen Halle. Dinge breiten sich in unserem Gebäude manchmal so schnell wie ein Lauffeuer aus. In diesem Moment wurde mir klar, dass mein Geheimnis zur zweiten Kategorie gehörte.

Ich wagte nicht, es preiszugeben.

Stattdessen trug ich es mit mir in den großen Saal und setzte mich an unseren Tisch. Ich blickte kaum von meinem Teller auf, bis ich hörte, wie Eva Alvarez verkündete: »Die Post ist da!«

Sie ließ eine Postkarte vor mir auf den Tisch fallen, und sofort erkannte ich die roten Schuhe aus dem Nationalmuseum für amerikanische Geschichte und dem *Zauberer von Oz* und vor allem den Ort, an dem Zach und ich uns zum ersten Mal so gesehen hatten, wie wir wirklich sind.

Das ist keine Halluzination, sagte ich mir. *Das ist echt,* dachte ich, als ich die Karte umdrehte und mir die Handschrift ansah, die der Regen im vergangenen Frühjahr weggespült hatte.

Ich las: »Sei vorsichtig!«

Ich verbrachte den Rest der Woche mit dem Versuch, Tante Abby allein zu sprechen, das Problem war allerdings, dass meine Tante *nie* allein war.

»Ähm, Tante Abby, können wir … reden?«, fragte ich am Montagabend nach dem Essen, aber sie lächelte nur und ging zur Tür. Leider folgte ihr die halbe Klasse des zweiten Jahrgangs.

»Aber sicher, Krümel. Ich wollte den Girlies gerade einen coolen Trick mit einem Gartenschlauch beibringen. Hast du Lust, dabei zu sein?«

Als ich sie am Dienstagnachmittag in der Eingangshalle traf, sagte ich: »Hey, Tante Abby, hast du heute Abend vielleicht ein bisschen Zeit zum Quatschen?«

»Ooh, tut mir leid, Camster«, entgegnete sie und machte sich mit Macey auf den Weg zur S+V-Stunde. »Fibs hat mich gebeten, ihm beim Zusammenrühren der superstarken Creme zu helfen, mit der man Leute betäuben kann. Ich hatte doch damals im Amazonas gelernt, wie man sie herstellt. Das kann die ganze Nacht lang dauern.«

Wohin ich auch ging, immer hörte ich Sachen wie: »Hey, Cammie, hat deine Tante Abby dir mal gezeigt, was sie in Portugal mit einer Haarnadel gemacht hat?«

Oder: »Ich hab gehört, fünf andere und viel erfahrenere Agenten hätten darum gebettelt, Macey zu beschützen, aber der stellvertretende Direktor der CIA hätte deine Tante selbst angerufen und sie gebeten, den Job zu übernehmen.«

Am Samstag war ich sicher, dass Tante Abby mir die *eine* Geschichte, die ich hören wollte, nicht erzählen würde.

Und am Sonntag fing es an zu regnen.

Als ich durch die leeren Korridore zum Büro meiner Mutter ging, erschienen sie mir düsterer als sonst um diese Zeit. An der Fensterbank im zweiten Stock konnte ich der Versuchung nicht widerstehen, die roten Samtvorhänge zurückzuziehen und durch das wellige Glas zu schauen.

Schwere graue Wolken hingen tief am Himmel, aber die Bäume im Wald waren saftig grün. Unsere Mauern waren hoch und dick, und kein einziger Wagen eines Fernsehsenders stand davor. Das Schlimmste schien vorbei zu sein. Dann zuckte ein Blitz am Himmel, und ich wusste, das Gewitter hatte eben erst begonnen.

»Cammie!«, hallte die Stimme meiner Mutter durch den Geschichtssaal, und ich wandte mich vom Fenster ab.

Auf dem Weg zu ihrem Büro sah ich, dass sie lächelte, als ob der erste Sonntagabend nach den Sommerferien genauso war, wie er sein sollte, obwohl er völlig anders war. Erstens war Musik zu hören. Laute Musik. Fetzige Musik. Musik, die mit dem, was wir in *Kultur und Anpassung* lernten, absolut nichts zu tun hatte.

Zweitens roch das Essen nicht so schrecklich wie sonst. Es roch zwar nicht so gut wie die Düfte, die aus der großen Halle strömten, aber es sah nicht aus, als ob die Rauchmelder (und/oder Melder von gefährlichen Stoffen) bereits losgegangen wären, was ein sehr gutes Zeichen war.

An der Tür zum Büro meiner Mutter wurde mir dann klar, was diesen Sonntagabend wirklich von den anderen unterschied – sie war nicht allein.

»Hey, Krümel! Ich kann's nicht fassen!« Meine Tante zwinkerte mir zu und nahm sich eine Traube aus der Obstschale auf Moms Schreibtisch. »Deine Mutter und Kochen«, meinte Tante Abby, nahm meine Hand und wirbelte mich zur Musik im Zimmer herum, »*das* musste ich sehen!«

»Niemand zwingt dich, etwas zu essen«, sagte meine Mutter und spielte die Beleidigte, aber Tante Abby tanzte einfach weiter, zog mich zu sich ran und stieß mich wieder weg, bis sie mir ins Ohr flüsterte: »Ich hab ein Gegenmittel für neunundneunzig Prozent aller Krankheiten, die auf eine Lebensmittelvergiftung zurückzuführen sind, in der Tasche – für alle Fälle.«

Ich musste lachen. Eine Sekunde lang schien es richtig zu sein. Eine Sekunde lang schien es sicher zu sein. Alles war anders und doch vertraut. Das Tanzen. Die Musik. Die Geräusche und Gerüche, während Mom ihr berühmt-berüchtigtes Gulasch kochte. Es war, als ob sich vor meinen Augen ein anderes Leben abspielte. Und dann traf es mich wie ein Schlag: Es war *mein* Leben. Mit Dad.

Dad hatte früher immer solche Musik gehört. Er und ich hatten dazu in unserer Küche in Washington getanzt.

Plötzlich verging mir die Lust am Tanzen.

Mom beobachtete mich, als ich zum Radio ging und die Musik leiser machte.

»Oh, Cam«, sagte meine Tante seufzend. »Schau dich an! Schon richtig erwachsen ist sie und bricht Herzen ...« Sie zog die Augenbrauen hoch. »Und sie verstößt gegen Regeln. Ehrlich gesagt, ich weiß nicht, was mich als Tante stolzer macht.«

»Abigail«, warnte meine Mutter leise.

»Rachel«, äffte meine Tante den mütterlichen Ton ihrer Schwester nach.

»Vielleicht sollte der amerikanische Geheimdienst die Leute nicht zu Regelverstößen ermuntern – erst recht nicht an dieser Schule und in diesem Jahr.«

»Vielleicht sollte sich die Leiterin dieser Schule daran erinnern, dass das Leben eines Spions gleichbedeutend mit dem Zurechtbiegen von Regeln ist«, gab meine Tante zurück.

»Und wenn wir schon beim Thema sind«, meinte Mom etwas lauter. »Vielleicht sollte der amerikanische Geheimdienst sich mal überlegen, ob es klug ist, Madame Dabneys Achtklässlern beizubringen, wie sich aus Papiertaschentüchern und Zitronenschnitzen Chloroform herstellen lässt.«

»Ja, ich konnte kaum glauben, dass sie selbst noch nicht darauf gekommen waren, wie man das macht«, sagte Tante Abby, als ob das Niveau ihrer Schwesternschaft sich erheblich verschlechtert hätte.

»Die Technik wurde 1982 verboten!«

»Hey, Joe behauptet aber –«

»Es ist mir egal, was Joe behauptet!«, unterbrach sie Mom bissig. »Abigail, Regeln gibt es aus einem bestimmten Grund. Es gibt sie, weil Leute, die sie nicht einhalten, *zu Schaden kommen.*« Die Worte hingen in der Luft. Meine Mutter zitterte leicht, als sie hinzufügte: »Oder hast du das vergessen?«

Ich kenne Tante Abby schon mein ganzes Leben lang, aber noch nie hatte ich erlebt, dass sie so aussah wie gerade eben. Sie schien hin- und hergerissen zu sein – zwischen Tränen und Wut –, während das Gewitter draußen verrücktspielte, das Gulasch einkochte, und ich mich fragte, ob einer von uns jemals wieder Lust zum Tanzen hätte.

»Rachel, ich –«

»Schnappt *sie!*«

Ich weiß nicht, warum ich es sagte. In der einen Minute stand ich da und schaute zu, wie sie sich stritten, und in der nächsten platzte das Geheimnis, das ich vom zweiten Untergeschoss bis hierher geschleppt hatte, aus mir heraus.

Mom kam langsam näher. Abby trat beiseite. Und draußen klatschte der Regen an die Mauern wie die Wellen am Meer bei Flut.

»Was hast du gesagt, Cammie?«, fragte meine Mutter wie jemand, der die Antwort schon weiß.

»Mir ist eingefallen …« Ich sank auf das Ledersofa. Mom rückte näher, aber hinter ihr schüttelte Tante Abby kaum merklich den Kopf. Wie eine Warnung. *Sei vorsichtig, was du dir wünschst!* »Mir ist etwas eingefallen … zu Boston. Ich hab Preston auf dieses Fensterputzding geschubst, und es schien ihnen völlig egal zu sein.« Mom ließ sich ganz langsam auf dem Couchtisch vor mir nieder, als hätte sie Angst, mich zu wecken – mich aus diesem schrecklichen Traum zu reißen. »Sie haben gesagt: Schnappt *sie!*«

»Cam –«, fing Mom an, aber wieder tauchten blitzartig Bilder vor meinen Augen auf – eine graue Tür, ein schwarzer Hubschrauber und am Ende ein weißes Stück Papier, das zu Boden flatterte.

»Prestons Programm«, wisperte ich, aber dieses Mal sah ich meine Mutter nicht an – ich sah meine Tante an. »Er hätte gar nicht dort sein sollen, oder?«

Mom wollte etwas sagen, aber Tante Abby ging an ihr vorbei und sank neben mir auf die Ledercouch. »Nö.«

Manche Leute würden sich vielleicht wundern, warum das eine Rolle spielte – wir hatten seit Wochen gewusst, dass Macey in Gefahr war. Aber als ich dasaß und dem Gewitter lauschte, kam mir plötzlich der Gedanke, dass es doch eine sehr große Rolle spielte. Die Entführer hatten es nicht auf den Sohn und die Tochter zweier Familien abgesehen, die zu den mächtigsten des Landes gehörten – sie hatten es nur auf *sie* abgesehen.

Auf eine meiner besten Freundinnen.

»Es stimmt, meine Kleine«, meinte Mom. »Preston Winters hätte nicht dort sein sollen, also können wir nur vermuten, dass nicht *er* das Ziel war.«

Ich nickte. Sie strich mir über die Haare. Und trotzdem hämmerte mein Herz, als ich fragte: »Wer waren die Typen?«

»Über dreihundert Gruppen haben behauptet, etwas mit

der Sache zu tun zu haben«, antwortete meine Tante und fügte dann mit einem Achselzucken hinzu: »Was bedeutet, dass mindestens 299 von ihnen lügen.«

»Der Ring«, sagte ich, schloss die Augen und sah vor mir, was sich mir ins Gedächtnis eingebrannt hatte. »Ich hab euch ein Bild von dem Ring gezeichnet. Habt ihr –«

»Wir überprüfen das, meine Kleine«, versuchte mich Mom zu beruhigen. Ich biss mir auf die Unterlippe. Ich wollte zumindest wissen, woher der Schmerz kam, den ich spürte.

»Wieso Macey?«, sprudelte es aus mir heraus.

»Sie ist die Tochter mächtiger Leute, Cam«, antwortete meine Mutter. »Solche Leute haben sehr mächtige Feinde.«

Dann stellte ich die Frage, die erschreckender war als alles, was ich auf dem Dach gesehen hatte: »Wird sie okay sein?«

Meine Mutter und meine Tante blickten einander an, zwei extrem erfahrene Geheimagentinnen, die genug erlebt hatten, um zu wissen, dass es auf meine Frage keine einfache Antwort gab. »Der Geheimdienst ist gut, Cam«, sagte meine Mutter. »Deine Tante Abby ist *sehr* gut.« Sie schaute meine Tante an, als könnte es zwischen ihnen beiden niemals irgendwelche Rivalitäten geben. Woraufhin ich lange dasaß und über Schwestern nachdachte. Unsere Schwesternschaft.

Und dann kam mir alles plötzlich sehr komisch vor. Sogar verrückt. Wir befanden uns in der Gallagher Akademie, wo die Leute verrückt waren und gleichzeitig total verrückt nach Sicherheit. Natürlich würde Macey okay sein.

»Zumindest ist unsere Schule die sicherste auf der Welt. Und Macey geht ja sonst nirgends hin, oder?«, fragte ich – und war total überrascht, als meine Tante lächelnd erwiderte: »Na ja … okay … Cam, warst du schon mal in Cleveland?«

Kapitel Elf

Im Staat Ohio gibt es zwanzig sogenannte Wahlmänner, die für den Präsidenten stimmen, und unter den Einwohnern ist die Wahlbeteiligung immer sehr hoch. Es gibt einen Gouverneur aus der einen Partei und zwei Senatoren, die zur anderen Partei gehören. Im September gab es in Ohio auch eine Menge Frauen, die sich nicht entscheiden konnten, für wen sie stimmen sollten, aber in einem Punkt waren sie sich vollkommen einig: Macey McHenry war ein sehr tapferes Mädchen, nach allem, was ihr in Boston passiert war.

Macey McHenry war viele Wählerstimmen wert.

Deshalb fuhr Macey hin. Und zwar allein.

Das heißt … wenn *allein* bedeutet, dass sie mit einem der hervorragendsten Gallagher Girls unterwegs war (das mir angeblich sogar ein bisschen ähnlich sieht, wenn ich die Haare hinten zusammennehme). Außerdem war Macey mit einer Karawane auf Achse, die aus vierzehn Geheimdienstlern für ihren ganz speziellen Personenschutz und einer Vorausmannschaft von mindestens dreißig Leuten bestand, die jeden Schritt ihres

Vaters verfolgten. Trotzdem war sie allein. Weil sie ohne uns losziehen musste.

Am Montagmorgen war Macey schon um fünf Uhr wach. Gemeinsam begleiteten wir sie die Treppe hinunter, wo der Duft nach Zimtschnecken aus der Küche strömte. Draußen ging in der Ferne die Sonne auf. Ein dunstiges Licht breitete sich am Horizont aus, und durch die Fenster konnte ich sehen, wie Wachleute den Wald durchkämmten.

Liz trug ihren $E=mc^2$-Schlafanzug, und Bex' Haare sahen noch zerzauster aus als sonst. Trotzdem stolzierten wir mit Macey durchs Haus, bis wir Tante Abby erspähten.

Sie trug einen dunkelgrauen Hosenanzug und eine einfache weiße Bluse. Ein kleiner Plastikstöpsel war schon an ihrem Kragen befestigt, und Kabel verschwanden unter ihrer Jacke. Sie wirkte genauso, wie man sich eine Agentin vorstellt, und sie *war* ja auch eine Agentin. Wir reichten Macey wortlos an sie weiter. Wachablösung!

Und dann duschte ich mich.

Und dann aß ich eine Zimtschnecke.

Und ich hörte nichts von dem, was Mr Smith vom alten Rom und den Katakomben erzählte, durch die man immer noch auf eine gruselige Art in die Stadt gelangte, wenn man sich auskannte.

Den ganzen Tag über kam es mir vor, als würden alle genau das aussprechen, was ich dachte.

»Inzwischen wird sie angekommen sein«, mutmaßte Tina nach dem Frühstück.

»Macey wird viele coole Sicherheitstaktiken kennenlernen«, bemerkte Eva auf dem Weg zum *Länder-der-Welt*-Unterricht.

»Abby ist bei ihr«, sagte Liz auf der großen Treppe.

»Und Abby rockt«, erinnerte mich Bex, als wir uns von Liz trennten und den Fahrstuhl zum zweiten Untergeschoss nahmen.

Vom Kopf her wusste ich, dass Macey so gut beschützt wurde, wie es überhaupt nur möglich war, aber Mr Solomon hatte uns schon vor einem Jahr beigebracht, dass es bei einem Spion nicht nur auf das Intellektuelle ankommt, sondern auch auf seine Instinkte. In diesem Augenblick sagten mir meine Instinkte, dass es ein sehr langer Tag werden würde.

Und das war, bevor Mr Solomon uns im zweiten Untergeschoss mit einem Stapel Winters-McHenry-T-Shirts und den Worten »Auf geht's!« erwartete.

Ich hatte schon zweimal mit Mr Solomon in einem Hubschrauber gesessen. Beim ersten Mal hatte man mir die Augen verbunden. Beim zweiten Mal hatte ich gerade herausgefunden, dass es eine streng geheime Spionageschule *für Jungs* gab. Aber im Vergleich zu heute waren Jungs und verbundene Augen ein Klacks.

»Bedrohungen der Sicherheit gibt es in wie vielen Formen, Miss Alvarez?«, fragte Mr Solomon.

»Fünf«, antwortete Eva, obwohl wir dieses Kapitel eigentlich noch gar nicht behandelt hatten.

»Und wer kann mir sagen, welcher Art diese Bedrohungen sind?«, fuhr unser Lehrer fort.

»Weitreichende, kurzfristige, Selbstmord, statische …«, rasselte Bex herunter, aber nicht um anzugeben, sondern eher, um auszusprechen, was ihr schon viel zu lang durch den Kopf ging und was sie endlich loswerden wollte.

»Das sind vier«, stellte Mr Solomon fest.

Die Rotoren des Hubschraubers drehten sich. Die Erde unter uns flitzte vorbei – Bäume und Hügel, Flüsse und Landstraßen, Städte voller normaler Schulen und normaler Schüler und Leute, die die Antwort auf die Fragen unseres Lehrers nie erfahren würden.

»Interne«, sagte ich so leise, dass ich mich fragte, ob mich jemand beim Lärm der Rotoren und des rauschenden Windes gehört hatte.

Aber wir sind Gallagher Girls. Wir hören alles.

»Stimmt«, erwiderte Mr Solomon. »Und das ist die allergrößte Gefahr.«

Ich redete mir ein, dass er nicht von Macey sprach – dass er nicht meinte, dass das in Boston Geschehene von einem Insider, also jemand Nahestehendem, inszeniert worden war. Dass er stattdessen ganz allgemein redete und uns an etwas erinnerte, was wir alle nur allzu gut wussten: dass Verräter die gefährlichsten Leute sind.

»Sie werden heute eine Menge sehen, meine Damen. Erfahrene Agenten, die mit einem vorrangigen Ziel im Einsatz sind. Hier geht es nicht um Nachrichtenmaterial und nicht um Operationen. Heute geht es um Schutz, nichts weiter.«

Ich ließ mir jetzt schon durch den Kopf gehen, welche Szenarien Mr Solomon sich wohl für uns ausgedacht hatte – welche Prüfungen uns auf dem Erdboden erwarteten.

Bex hatte anscheinend an Ähnliches gedacht, weil sie fragte: »Was ist unsere Aufgabe?«

»Eine schwierige Sache«, warnte uns Mr Solomon und lächelte. »Einfach nur beobachten. Einfach nur lauschen. Einfach nur lernen.«

Von Gallagher Girls werden immer schwierige Dinge verlangt. Ständig. Aber bis zu diesem Tag hatte ich nicht gewusst, dass die schwierigste Aufgabe von allen, *nichts zu tun* ist.

Schließlich ist es eine Sache, eine Gruppe bestens ausgebildeter, zukünftiger Spioninnen in einer Menschenmenge mit Tausenden von Erwachsenen abzusetzen und sie aufzufordern, eine mögliche Bedrohung zu finden. Und es ist eine ganz andere Sache, die Mädchen mit Kommunikationsgeräten auszurüsten, die auf die Frequenz des Geheimdienstes eingestellt sind (wovon der Geheimdienst allerdings nichts weiß), und ihnen zu sagen, dass sie sich entspannen und die Show genießen sollen.

Ich mag es nicht einmal, wenn mir jemand Sirup auf die Waffeln gießt (ich habe nämlich ein ganz bestimmtes System), weshalb die Tatsache, dass andere Leute für Maceys Sicherheit verantwortlich waren … Na, sagen wir mal so: Die Sache lag außerhalb meines Wohlfühlbereichs.

Und als wäre das alles noch nicht schlimm genug, kniffen die Jeans, die jemand für mich eingepackt hatte. Ich weiß nicht, wie es anderen geht, aber Bex Baxter ist die Einzige, die ich kenne, die in einen Hubschrauber einsteigen und rausklettern kann, ohne dass er etwas total Krasses mit ihren Haaren macht.

Vor allem wollte ich so tun, als würde ich daran glauben, in einer Welt zu leben, in der Haare und Jeans noch eine Rolle spielten. Was nicht stimmte. Also dachte ich doch lieber an meinen Auftrag und starrte auf die Menge.

Und dann verschwand ich.

Das Wesentliche am Dasein eines Chamäleons
Von Cameron Ann Morgan

1. Es ist sehr wichtig, immer auszusehen, als würde man dazugehören.

2. Wenn Punkt 1 zu schwierig ist, versuchen, auf unsichtbare Leute zu zeigen und zielbewusst auf niemanden zugehen.

3. Stillstand. Stillstand ist das Wichtigste überhaupt (außer bei Punkt 2), weil die Leute Bewegungen leichter erkennen als Dinge. Im Zweifelsfall erstarren.

4. Es hilft total, wenn man mit seinem Aussehen nicht auffällt (also weder besonders gut noch besonders schlecht aussieht).

5. Sich mit der Umgebung so schnell wie möglich vertraut machen.

6. Sich nicht schrill, supermodern, hässlich oder ordinär anziehen.

7. Sich verstecken ist was für Anfänger.

»Das ist ja … wow«, sagte Bex zehn Minuten, nachdem wir im Park – oder was ich für einen Park hielt – angekommen waren.

Eine lange grasbewachsene Promenade erstreckte sich über mindestens zwei Häuserblocks. Auf beiden Seiten standen schöne historische Gebäude, aber am Ende hatte jemand eine

Bühne errichtet. Dahinter waren Sitzplätze, die im Halbkreis zum Rasen blickten, und von dem Punkt aus, an dem Bex und ich standen, schien es, als wäre halb Ohio gekommen, um Maceys triumphierende Rückkehr mitzuerleben.

Aus den Lautsprechern dröhnte die Stimme eines Lokalpolitikers, der versuchte, die Leute auf der Tribüne hinter ihm zu zwingen, »Winters« zu rufen, während die Leute auf dem Gras vor der Bühne »McHenry« rufen sollten.

»Ist die amerikanische Politik immer so ... *crazy?*«, wisperte meine beste Freundin.

Ich hätte ihr gern gesagt, dass dies alles hier nichts im Vergleich zum Wahnsinn des Kongresses war (weil mir zum Beispiel bis jetzt noch keine Leute mit Hüten aufgefallen waren, die wie Gemüse aussahen), aber Boston zu erwähnen, schien mir keine gute Idee zu sein, also nickte ich nur und versuchte, mich durch die Menschenmenge zu quetschen.

Ein riesiges Spruchband (das ganz bestimmt kugelsicher war) spannte sich um die Bühne und verkündete: LASS DEINEN WORTEN TATEN FOLGEN! Ich drehte mich um und schaute die Seile an, die die Menschen zurückhielten. Ein riesiger Reisebus bog um die Ecke und hielt vor der Gasse, die durch die Zuschauer verlief. Die Türen flogen auf, und irgendwo in der Ferne fing die Blaskapelle der Highschool an zu spielen. Der Gouverneur Winters und der Senator stiegen aus und gingen die lange Promenade entlang, an der viele Hände zu schütteln und Babys zu küssen waren – zweitausend schreiende Leute, von denen jeder mir die Beule am Kopf verpasst haben konnte.

In meinen Ohren rauschte die unaufhörliche Flut fremder Stimmen.

»Sir, könnten Sie bitte die Hände aus den Hosentaschen nehmen?«, bat ein großer Geheimdienstler den Mann hinter mir.

»Delta-Team, der Typ auf den Stufen der Bücherei gefällt mir nicht. Ich wiederhole: die Stufen der Bücherei.«

Sofort spürte ich, wie die ganze GehOp-Klasse der Gallagher Akademie für außergewöhnliche junge Frauen sich umdrehte, um zu sehen, wie ein Typ im Trenchcoat auf einen Mann im Karohemd zuging und ihm die Sicht auf die Kandidaten versperrte, die auf der Straße vorbeigingen.

Eine Frauengruppe schwenkte ein Schild, auf dem GOTT SEGNE EUCH, MACEY UND PRESTON stand, und Preston rannte wie auf Kommando auf die Frauen zu und umarmte sie, während CNN keine zehn Meter davon entfernt die Szene live und in Farbe übertrug.

Aber Macey lief nirgends hin. Und umarmte auch keinen (was sowieso nicht ihre Art war – egal, ob es einen Entführungsversuch gegeben hatte oder nicht). Stattdessen hielt sie die Hand ihres Vaters. Sie winkte. Sie lächelte.

»Wir müssen an jedem Tag und in jeder Sekunde perfekt sein, meine Damen.« Ich hatte in den letzten beiden Jahren schon reichlich anspruchsvolles Zeug von Mr Solomon gehört, aber ich glaube, er hatte noch nie so ernst geklungen wie heute, als er sagte: »Die Bösen brauchen nur ein einziges Mal Glück zu haben.«

Und dann konnte ich mich nicht mehr beherrschen. Ich dachte an Boston. Ich dachte an das Glück. Ich dachte daran, dass unsere Sommerferien um ein Haar ganz schlimm geendet hätten.

»Ich weiß nicht, ob eine von Ihnen eines Tages Personenschützerin werden möchte, aber falls Sie …« Mr Solomons Stimme in meinem Ohr klang gedämpft und ruhig im Vergleich zu den lauten Befehlen des Geheimdienstes. »Das hier ist Ihr schlimmster Albtraum.«

Ich bin ziemlich sicher, dass Bex in diesem Moment unsere Mitbewohnerin am liebsten ins nächste kugelsichere Fahrzeug gezerrt und so schnell wie möglich nach Roseville gefahren hätte. Aber das kam nicht infrage, weil der echte Geheimdienst erstens auf uns schießen würde, die CNN-Reporter zweitens ein paar interessante Fragen stellen würden, falls Bex die Bodyguards des Senators McHenry mit gezielten Fußtritten ausschaltete, und sich unsere Noten drittens in der Mitte des Schuljahrs wahrscheinlich danach richteten, ob wir genau das taten oder nicht. Und als hätten wir es nötig gehabt, daran erinnert zu werden, hatten wir ununterbrochen die Stimme unseres Lehrers in den Ohren.

»In Anbetracht der Windstärke und -richtung lauert die größte Gefahr eines Angriffs durch einen Scharfschützen wo, Miss Morrison?«

Bex und ich sahen uns an und formten lautlos mit dem Mund: »Im Kirchturm« – genau in dem Moment, in dem Mick es aussprach.

»Vier Mitglieder des Geheimdienstes haben die Demonstranten auf der anderen Straßenseite infiltriert, Miss Fetterman«, sagte Mr Solomon. »Identifizieren Sie die Agenten!«

»Äh …«, fing Anna an, während auf der Straße gerade Tante Abby und Macey an uns vorbeigingen. »Roter Rucksack«, antwortete Anna. »Die Dame mit dem blauen Kopftuch. Der Mann mit dem gelben T-Shirt und …« Sie verstummte.

»Noch jemand?«, fragte Mr Solomon.

»Der Typ mit dem langen roten Bart«, hörte ich mich sagen. Ich war mir nicht sicher, wann ich ihn gesehen hatte, aber kaum hatte ich es ausgesprochen, wusste ich, dass es stimmte.

»Warum?«, fragte Mr Solomon.

»Atmosphärische Störung«, antwortete ich. »Vor zweieinhalb Minuten hat es auf der Frequenz des Geheimdienstes eine atmosphärische Störung gegeben. Er ist zusammengezuckt.«

Ich hätte schwören können, dass ich spürte, wie Mr Solomon irgendwo in der Menge lächelte.

Ich hatte mich früher oft gefragt, ob Geheimagenten es jemals satthatten, immer die gleichen Reden der gleichen Leute – jeden Tag ein Dutzend Mal – zu hören, bis einer entweder eine Rede halten muss, weil er gewonnen oder verloren hat. Aber von heute an würde ich mich fragen, ob der Geheimdienst diese Reden überhaupt hört.

»Beta-Team, die Demonstranten bleiben auf Ebene Zwei. Ich wiederhole: die Demonstranten bleiben auf Ebene Zwei«, verkündete eine der anonymen Stimmen.

»Charlie-Team, wir haben ungewöhnliche Bewegungen im Fenster der City National Bank im Auge«, sagte eine andere Stimme, und alle Jalousien im vierten Stock des Gebäudes gegenüber wurden blitzschnell heruntergelassen.

Und dann meinte eine Stimme, die ich kannte: »Der Pfau ist für die Bühne bereit und in Bewegung.«

»Tante Abby«, flüsterte ich Bex zu.

»Der Pfau?«, flüsterte sie zurück.

Auf der Bühne schwenkte der Senator eine Hand und trug vor: »Familie. Ich brauche Ohio, dem Staat der Rosskastanie, nicht zu erklären, wie viel mir Familie bedeutet.«

Die Menge jubelte einige Minuten lang wie verrückt, aber als Macey ihren Vater am Mikrofon ablöste, wurden die Wechselwähler von Ohio so still, dass ich mir sicher war, jemand hatte die Lautstärke heruntergedreht.

»Es ist super, heute hier zu sein.« Macey schaute über die Masse. Sekundenlang sah sie verloren aus – wie benommen. Aber dann schien ihr Blick auf Bex und mich zu fallen. Ihre Augen leuchteten auf, als sie hinzufügte: »Mit meiner Familie.« In diesem Moment legte der Senator McHenry den Arm um seine Frau, und ich musste an die Anweisungen der Klemmbrett-Lady denken: »Spontanes Umarmen«.

»Und ich möchte noch etwas sagen«, fuhr Macey fort, jetzt mit kräftigerer Stimme. »Wenn wir zusammenhalten, können wir alles erreichen. Wir können alles bezwingen, wenn wir uns bemühen. Das habe ich von den Menschen gelernt, die mich lieben. Die Menschen, die mein wahres Ich kennen.« Dieses Mal war ihr Blick direkt auf uns gerichtet.

Neben mir flüsterte Bex: »Genau, Macey!«

»Miss Baxter.« Mr Solomons Stimme holte uns in die Realität zurück und erinnerte uns an unseren Auftrag. »Zehn Meter hinter Ihnen steht ein Mann mit Jeansjacke. Holen Sie sich seine Fingerabdrücke, ohne dass er es bemerkt.« Bex zwinkerte und verschwand.

Es gab noch mehr Reden und Beifall, aber am Ende ging Macey die kleine Treppe auf der linken Seite der Bühne hinunter und betrat durch eine Lücke einen geschützten Bereich hinter der Tribüne. Sobald sie verschwunden war, hörte ich die Stimme meiner Tante: »Der Pfau ist im gelben Zelt in Sicherheit.« Seit Sonntagabend holte ich zum ersten Mal tief Luft.

Die Menge starrte auf die Bühne, während der Gouverneur

Winters sagte: »Unsere Gegner hatten vier Jahre Zeit, um zu reden, aber jetzt ist es Zeit, den Worten *Taten* folgen zu lassen!« Die Leute klatschten. Die Leute lachten. Es schien, als wäre er ein Puppenspieler, und jedes Mal, wenn er an den Schnüren zog, sprangen zweitausend Menschen in die Höhe.

Aber ich klatschte nicht. Ich lachte nicht. Ich hörte nur ununterbrochen Mr Solomons Stimme – nicht im Ohr, sondern im Kopf. Mir fiel ein, was er im Hubschrauber gesagt hatte. »Schutz ist zehn Prozent Protokoll und neunzig Prozent Instinkt.«

Und genau in diesem Moment befahl mir mein Instinkt, mich umzudrehen. Vielleicht lag es daran, wie die Häuser sich neben dem Rasen reihten, vielleicht waren es die vielen Menschen, die an mir vorbeizogen, aber irgendetwas erinnerte mich an das letzte Semester und an Washington. Während der Senator und der Gouverneur auf der Bühne standen, sich an den Händen fassten und diese hochhielten, fing die Band an zu spielen. Ich drehte mich also um und sah zu, wie die Leute klatschten und tanzten. Die Kandidaten näherten sich den Absperrungen, und die Menschen schoben sich heran, aber ein Typ machte sich davon.

Weg vom kugelsicheren Spruchband.

Weg von allem.

Aber nicht von der Tribüne und dem gelben Zelt dahinter.

Ein anderes Spruchband hing an der Seite und warb mit dem Aufdruck www.winters-mchenry.com, und ich beobachtete, wie es im Wind flatterte, wie sich eine Ecke losriss und gegen die Aluminiumstange schlug, aber niemand schien es zu bemerken. Niemand sah den Spalt. Kein Normalbürger hätte erkannt, was diese Lücke bedeutete. Nur der Typ mit der Kappe ging auf das Banner zu. Er schlüpfte durch den Spalt, und ich wusste sofort, dass er ein sogenannter Straßenkünstler war.

Ich wusste, dass er wie ich war.

»Nein!«, hörte ich mich schreien. Aber wegen der Musik, der Menge und dem Geschnatter der Leibwächter, die sich um die Seile der Absperrung kümmerten, löste sich das Wort in Luft auf. Und der Typ war weg.

Ich folgte ihm, schob mich auch durch die Lücke, aber ich konnte nur Abfall und verhedderte Drähte und Stangen sehen.

Trotz des sonnigen Tags war es dunkel unter der Tribüne. Trotz der kreischenden Menschen schien der Lärm von weit, weit herzukommen. Ein warmes Lüftchen blies rotes, weißes und blaues Konfetti über meine Füße, die Band spielte weiter und die Leute jubelten.

Ich spürte, dass jemand hinter mir war.

Und zum zweiten Mal in diesem Monat griff eine fremde Hand nach meiner Schulter.

Als ich nach hinten langte, die zudringliche Hand packte, den nötigen Schritt machte, den Typ problemlos durch die Luft schwenkte und zuschaute, wie er mit einem Knall auf einen roten Ballon krachte, vergaß ich Mr Solomons Auftrag total.

Aber plötzlich war ich diejenige, der die Luft wegblieb, als ich auf den Typ starrte, der unter mir lag, und die Worte hörte, auf die ich überhaupt nicht gefasst war.

»Hallo, Gallagher Girl.«

Kapitel Zwölf

Zach war da. Zach, der auf dem Rücken lag und dessen Schultern zwischen meinen Knien eingeklemmt waren, schaute im Dunkel der Tribüne zu mir hoch.

Dieses Mal war er echt. Es hatte nichts mit Spion-Genen und Teenie-Hormonen zu tun, die mit mir durchgingen. Ich halluzinierte nicht, hatte keine Tagträume und war auch nicht das Opfer eines abgefahrenen Gegenspionage-Tricks.

Ich schaute nur …

Zach an.

»Hey, Gallagher Girl«, sagte er nach einer gefühlten Stunde, »lässt du mich jetzt aufstehen?«

Das hatte ich aber überhaupt nicht vor, denn erstens hatte ich eine ihm überlegene Position eingenommen und wie bei jedem Typ – und erst recht bei einem Blackthorne-Typ – ist eine überlegene Position etwas, was man möglichst beibehalten sollte. Zweitens, wenn ich ihn nicht aufstehen ließ, war die Chance zudem erheblich geringer, dass er sich rächen würde, indem er mich wie eine Stoffpuppe durch die Luft warf (was ich ihm durchaus zutraute). Und drittens gefiel mir der Gedanke irgendwie, zu erfahren, woran ich mit ihm war. Wenigstens das eine Mal.

Also beugte ich mich über ihn wie ein *Gallagher Girl*, anstatt zur Seite zu treten und ihm wie ein *braves* Mädchen auf die Füße zu helfen. »Was *machst* du hier?«

Aber Zach antwortete nicht gleich. Stattdessen tat er, was schon immer seine Spezialität war. Er schaute mir tief und fest in die Augen, als ob er mir die Antwort über eine kosmische, spirituelle Leitung senden wollte.

Dann grinste er und sagte: »Ich interessiere mich *sehr* für die Politik in Ohio.«

Ich machte ein paar Stolperschritte rückwärts, wobei der Satz aus mir herausschoss: »Du darfst doch noch gar nicht wählen!«

»Ja, aber ich kann Werbung machen.« Er zeigte auf den Winters-McHenry-Button an seiner Jacke, um die Sache klarzustellen. Und dann traf es mich wie ein Schlag – das Panikgefühl, das niedliche Typen und Entführungsversuche wahrscheinlich schon seit hundert Jahren bei Gallagher Girls auslösen.

Ich hatte ungefähr eine Milliarde Mal daran gedacht, ihn zu treffen. Ich hatte mir vorgestellt, was ich tragen und was für coole Dinge ich sagen würde, aber ich kann euch versichern, in keiner meiner Fantasien hatte ich meine unbequemsten Jeans und ein T-Shirt an, das zwei Nummern zu groß war. Ich hatte mir überlegt, was für einen Eindruck ich machen wollte – ich wäre gleichzeitig interessiert, unbeeindruckt und freundlich und würde mich ein bisschen über ihn lustig machen. Aber als ich jetzt auf ihn hinunterschaute, war ich nichts davon. Ich murmelte nur: »Blackthorne ist weit weg von hier.«

»Stimmt.« Er lächelte. »Okay, ich hab gehört, dass Macey McHenry heute ihren ersten öffentlichen Auftritt nach der Wahlveranstaltung hat« – er stand auf und schnipste mit dem Finger Konfetti aus meinen Haaren – »und wo ein Gallagher Girl ist, sind meist noch andere.«

Sein Lächeln wurde breiter, und in diesem Moment hatte ich das Gefühl, gleich losschreien zu müssen (aber aus einem ganz anderen Grund).

»Ja, bei uns ist das wie mit dem Rauch und dem Feuer«, stotterte ich und versuchte mein Bestes, cooler zu wirken, als ich mich fühlte.

Er lächelte sein langsames, wissendes Grinsen. »So ähnlich.«

Und dann packte mich eine ganz neue Art von Panik – ZACH WAR HIER! Weil er wusste, dass Macey hier wäre? Und weil er dachte, *ich* würde bei Macey sein?

(Notiz an mich: Liz' Typ-Englisch-Übersetzungsprogramm sofort ändern, damit verschiedene Interpretationen möglich sind!)

Bestimmt nicht, oder? War es möglich, dass Zachary Goode aus seiner streng geheimen Spionageschule geflohen war, weil er mich so zum ersten Mal außerhalb *meiner* streng geheimen Spionageschule treffen konnte?

Oh.

Mein.

Gott.

Könnte ich jetzt bitte wieder Angreifer auf Dächern bekämpfen? Denn bei Angreifern auf Dächern weiß man wenigstens, woran man ist! Aber Typen – vor allem *dieser* Typ – blieben ein Rätsel.

Ich hörte die Menschen wieder klatschen, als der Gouverneur seine Rede fortsetzte, aber es war, als ob das Ganze sich auf der anderen Seite der Erde abspielte.

»Ich dachte, du hättest geschworen, dich von geheimen Gängen und Wäscherutschen fernzuhalten, aber wahrscheinlich …« Er beendete den Satz nicht. Stattdessen hob er die Hand und fuhr mit dem Finger an dem fast verblichenen Bluterguss an meinem Haaransatz entlang, und ich spürte etwas, das absolut nichts mit dem Trauma stumpfer Gewalt zu tun hat.

Und dann ging mir plötzlich ein Licht auf. »Woher weißt du eigentlich über die Wäscherutsche Bescheid?«

Zach holte tief Luft, lächelte, zeigte auf sich, wie er es früher immer getan hatte, und meinte: »Spion.«

Ich hörte eine Stimme in meinem Ohrstöpsel sagen: »Chamäleon, ich weiß, dass du *chamäleonisch* bist, aber wenn du vielleicht mal winken oder mir sagen könntest, wo du dich gerade aufhältst, wäre das super.«

»Tribüne«, sagte ich.

»Bex?«, riet Zach.

»Genau.«

»Dann hast du also Rückendeckung?« Es war eine echt merkwürdige Frage an einem echt merkwürdigen Tag, also stand ich sekundenlang nur da und fragte mich, ob er das als Junge oder als Spion wissen wollte. »Die Mädchen sind da? Und Solomon?«

»Natürlich auch.«

Aber dann sprach eine der hundert Stimmen in meinem Ohr: »Alpha-Team, es regt sich was unter der Tribüne.« Ich wollte sofort losrennen.

»Zach, da ist jemand unter –«

Ich verharrte, weil ich merkte, dass *wir* die Leute unter der Tribüne waren.

»Sie!«, rief einer der Agenten aus. Aber als ich herumwirbelte, um ihm ins Gesicht zu schauen, entspannte sich seine rechte Hand, die sich dem Schießeisen in seinem Halfter genähert hatte. Er lächelte, und mir wurde vielleicht zum allerersten Mal klar, dass es ein Vorteil war, ein sechzehnjähriges Mädchen zu sein.

»Miss«, ermahnte mich der Agent, »das Betreten dieser Zone ist verboten. Ich muss Sie bitten, sich hinter die Absperrung zu begeben.«

»Oh Mann!«, sagte ich und klang ein winziges bisschen doofer als man mir mit meinem IQ zutrauen würde. »Ich musste so *dringend* aufs Klo – deshalb sind wir …«

»Wir?«, fragte der Agent und war sofort hellwach. Er suchte die Gegend mit den Augen ab. Große Männer in dunklen Anzügen tauchten aus dem Nichts auf. In meinem Ohrstöpsel ging es lebhaft zu – jede Menge Geschnatter und Befehle.

»Ich war …«, fing ich an. Mir fehlten die Worte. Und dabei drehte ich mich suchend um.

Aber Zach war weg.

Kapitel Dreizehn

Ja, genau, wir haben ein Klo gesucht.« Eine Stimme ertönte hinter dem Schutzwall aus Sicherheitsleuten in dunklen Anzügen, die mich umringt hatten. Obwohl Geheimagenten den Ruf haben, besonders schlau und unglaublich durchtrainiert zu sein, schienen sich alle beim Anblick von Macey McHenry zu ducken.

Ich sah zu, wie meine Mitbewohnerin ihr inneres Gallagher Girl (von der versnobten Art) herbeizitierte und die Männer fragte: »Haben Sie ein Problem damit?«

Und so wurde ein Chamäleon von einem Pfau gerettet.

»Danke, Jungs«, sagte Tante Abby, die neben Macey auftauchte. »Ich glaube, wir können ab hier übernehmen.«

Während sich die dunklen Anzüge entfernten, nahm mich meine Tante beim Arm, führte mich hinaus in den Sonnenschein und sang leise: *»Das sag ich deiner Mutter.«*

»Tut mir leid«, entschuldigte ich mich. »Ich hab nur« – ich dachte an Zach … den rätselhaften Zach … den plötzlich verschwundenen Zach – »was gesehen.« Etwas, nicht jemanden!

Aber meine Tante schüttelte den Kopf. »Ich will gar nicht wissen, wie du hier reingekommen bist.« Sie blieb stehen. »Warte! Du verrätst mir *doch* besser, wie du nach hinten gelangt bist!«

Nachdem ich es ihr erklärt hatte, ging sie zehn Meter weiter zu einem Leibwächter, der neben einer Reihe verdunkelter Geländewagen stand.

»Fahrzeuge für den Abtransport im Notfall«, sagte ich zu Macey, die viel zu interessiert auf meine Füße starrte, um die echt coolen Überwachungsmaßnahmen in unserer Nähe zu bestaunen.

»Du kriegst fünfhundert Dollar, wenn du mit mir Schuhe tauschst«, bot Macey an. Ich schaute auf ihre Ballerinas, die ihre Mutter ihr bestimmt aufgezwungen hatte, und wusste, dass sie es ernst meinte. Aber Bequemlichkeit ist unbezahlbar (wie alle Straßenkünstler wissen), also tat ich so, als hätte ich sie nicht gehört, was gar nicht schwer war, wenn man bedenkt, was mir so alles durch den Kopf ging!

Zach war zur Wahlkampagne gekommen! Um *mich* zu sehen?

»Macey, du glaubst nicht, wen ich gerade –«

»Hey«, unterbrach mich jemand. »Dich kenn ich doch!«

Ich kannte die Stimme, aber den Ausdruck auf Maceys Gesicht noch besser, als Preston auftauchte.

»Gibt's kein Baby für dich zum Küssen?«, fragte Macey seufzend.

»Cammie, stimmt's?«, sagte Preston. »Macey hat mir nicht gesagt, dass du hier bist.«

»Ja, es ist eine wunderbare Gelegenheit, den politischen Prozess so hautnah mitzuerleben und –«

»Ich mein es ernst!«, betonte Macey bissig. »Geh. Küss. Ein Baby.«

»Ist es nicht einfach unglaublich?«, fragte Preston und legte den Kopf schief. »Jedes Mal, wenn sie mich sieht, nennt sie mich Baby und redet vom Küssen.«

Macey sah aus, als würde sie ihn am liebsten erwürgen. Aber *ich* hätte am liebsten gelacht.

Vielleicht lag es daran, dass ich im Moment so viel an Jungs dachte. Vielleicht lag es daran, dass ich erleichtert war, weil Macey zumindest vorübergehend okay zu sein schien. Aber in diesem Moment fand ich Preston irgendwie …

Heiß?

Nein. Auf gar keinen Fall! Dann blickte ich Macey an, die es hasste, unbequeme Schuhe zu tragen und ihren Eltern zur Verfügung stehen zu müssen, und dachte mir, dass Preston Winters vielleicht der Einzige war, der das alles genauso hasste wie sie. Wie jeder Spion weiß: Aus Feinden werden oft Verbündete.

»Okay«, sagte Preston leise.

Ein Gospelchor sang in der Ferne. Die Personenschützer machten sich für den langen Weg zu den Bussen bereit. Aber Preston schien es nicht zu bemerken. Es schien ihm egal zu sein. Er schien vollkommen immun gegen diese spähenden Augen und lauschenden Ohren zu sein, als er näher herankam und meinte: »Ich bin wirklich froh, dich gesehen zu haben.«

Mann, dachte ich. *Kann es sein, dass innerhalb von zehn Minuten* zwei *Jungs mit mir geflirtet haben?*

Aber es war kein Flirten.

Es war schlimmer.

Es war viel, viel schlimmer, weil Preston mir fest in die Augen sah – während der Gospelchor aufhörte zu singen und ein paar Militärflugzeuge über uns hinwegbrausten – und sagte: »Ich wollte mich bei dir bedanken … wegen Boston.«

Das Mädchen in mir atmete im selben Moment aus, in dem die Spionin in mir die Veränderung seines Atemrhythmus und die Erweiterung seiner Pupillen studierte. Als er noch hinzufügte: »Das war echt … stark«, bekam ich Panik.

»Oh, es war nichts!«

»Cammie macht so was ständig«, erwiderte Macey, die heraushörte, wie unangenehm mir die Sache war. »Sie ist eine richtige Pfadfinderin.«

»Kann schon sein«, sagte er und drehte sich zu Macey. »Aber du bist anscheinend auch eine.«

Als Macey mich ansah, wusste ich, dass keine von uns beiden sich vorstellen wollte, was passieren würde, wenn der potenzielle *First Son* zu angestrengt oder zu lange über den Vorfall auf dem Dach nachgrübelte.

»Ich bin total ausgeflippt«, gab Preston zu. »Aber ihr zwei wart einfach nur … *vernünftig*.«

»Macey«, sagte ich laut, »mir hat deine Rede gut gefallen.«

»Es waren« – fuhr Preston fort, als ob ich nicht dastehen würde … als ob *er* nicht dastehen würde. Er starrte ins Leere, als würde ein Film über das, was in Boston passiert war, in seinem Kopf ablaufen – »wie viele hinter uns her? Zehn Typen?«

»Zwei Männer. Eine Frau«, verbesserten Macey und ich ihn gleichzeitig.

»Und ihr wart …« Er guckte uns an, als hätte er uns noch nie gesehen. »Ihr seid *Mädchen!*« Es klang, als wäre ihm diese Tatsache bisher völlig entgangen.

»Danke, dass du es bemerkt hast«, sagte Macey, packte meinen Arm und zog mich weg.

Preston lief hinter uns her. »Aber ihr habt euch super behauptet. Gegen ein Dutzend –«

»Drei«, korrigierten Macey und ich ihn wieder.

»Männer.« Er blieb vor uns stehen und versperrte uns den Weg. Was bedeutete, dass wir abwarten mussten, bis er sich ausgequatscht hatte. Es sei denn, wir wollten ihn mit unseren außergewöhnlichen körperlichen Fähigkeiten noch mehr beeindrucken.

Als ich schon dachte, die Sache könnte nicht schlimmer werden, starrte er Macey an. »Wie viel wiegst du?«

»Hey!«, rief ich und stellte mich zwischen die beiden. »Es war nichts. Echt! Es war wie bei den Frauen, die Lastwagen von ihren Babys heben – so hat es sich angefühlt.« Ich wollte den Eindruck erwecken, dass alles genauso aufregend, adrenalingeladen und ungewohnt für mich war wie für ihn.

»Genau«, fügte Macey hinzu.

»Aber die Handgriffe …«, fing er wieder an.

»Meine Mutter hat mich gezwungen, Selbstverteidigung zu lernen«, sprudelte es aus mir heraus. (Keine Lüge.)

»Wow.« Er nickte. »Ich hoffe, du hast Extrapunkte dafür bekommen.«

»Hab ich«, sagte ich. (Auch keine Lüge.)

»Also …« Preston fuhr sich mit der Hand durch die Haare und zog seine Krawatte gerade. »Sie scheinen euch an eurer Schule ja echt was Gutes beizubringen.«

Macey und ich wechselten Blicke. Wir wussten, dass wir ihn umbringen *könnten*, ungeschoren davonzukommen, wäre aber wahrscheinlich schwierig.

Und dann lachte er.

Und wir atmeten auf.

Und er sah uns mit einem Ausdruck ehrlicher Dankbarkeit an (die man ihm abgenommen hätte, wenn er nicht der Sohn eines Politikers gewesen wäre) und sagte: »Ich bin nur froh, dass ich das alles mit Mädchen wie euch erlebe.«

»Mr Winters!«, rief einer der Leibwächter. »Es geht los.«

Ein Agententeam umringte Preston und führte ihn weg, aber Macey blieb noch ein paar Minuten.

»Er ist doch eigentlich ... ganz nett«, brachte ich schließlich leise heraus.

Aber Macey guckte mich nur an. »Du bist eine Spionin, Cam. Weißt du denn nicht, dass nichts so ist, wie es scheint?«

Ich kam nicht dazu, Zach zu erwähnen. Ich kam nicht dazu, ihr zu sagen, was ich wirklich von ihrer Rede gehalten hatte. Ich kam noch nicht einmal dazu, Tante Abby zu fragen, ob sie tatsächlich vorhatte, meiner Mutter zu erzählen, dass ich »im verbotenen Bereich« erwischt worden war.

Stattdessen beobachtete ich, wie der Geheimdienst sich wieder um meine Mitbewohnerin drängelte. Eine Schranke öffnete sich, und Macey ging auf ihre Eltern zu. Ihr Vater griff nach ihrer Hand, aber Macey winkte bereits und lockte Wählerstimmen, lächelnde Gesichter und schüttelnde Hände an.

Und dann verkündete auch schon eine Stimme in meinem Ohr, es sei Zeit, nach Hause zurückzukehren.

Kapitel Vierzehn

Wisst ihr, wie lang es gedauert hat, bis wir wieder in unserer Schule waren? Einhundertzweiundsiebzig Minuten. Wisst ihr, wie lang es gedauert hat, bis alles wieder normal war? Also … darauf warte ich immer noch.

Kaum waren wir zurück, schleppte uns Mr Solomon ins zweite Untergeschoss, um uns Überwachungsvideos zu zeigen und einen Test aufzubrummen. (Ich erreichte 98 %.) Als wir wieder oben im Foyer waren, hörte ich das Schaben von Gabeln und das Klackern von Eiswürfeln in unseren zweitbesten Kristallgläsern, aber ich hatte überhaupt keinen Hunger, vor allem nicht, als ich Macey zur Tür hereinkommen sah.

»Macey!«, schrie ich.

»Cam!« Bex und Liz rannten hinter mir her. »Was ist los?«

Es war ein ganz normaler Abend in einer ziemlich unnormalen Schule. Aber selbst an dem gemessen, was für die Gallagher Akademie üblich war, hatte ich einen wirklich ungewöhnlichen Tag gehabt, weshalb ich durch die Eingangshalle und die Treppe hochlief und immer noch »Macey!« brüllte.

Als ich sie eingeholt hatte, stand sie schon ohne Jacke in ihrer Seidenbluse da. In der Hand hielt sie eine Perlenkette und hatte das Tuch, das sie bei der Versammlung getragen hatte, in ihre Tasche gestopft. Mit jedem Schritt streifte sie Stück für Stück der falschen Fassade (ihrer Tarnung) ab.

»Da bist du ja wieder!«, rief ich.

»Ja«, sagte sie mit unglaublich müder Stimme, »gut beobachtet. Hey, was war denn heute los mit dir?« Sie machte einen Schritt und trennte sich von einem weiteren Kleidungsstück, das nur eine Mutter lieben kann. »Als ich dich entdeckt hatte, hast du irgendwie … erschrocken ausgesehen.«

»Warte!«, schrie Bex. »Du hast sie *gesehen?*«

»Ja, ich wollte es dir sagen, aber … na ja … wir hatten noch keine Zeit … und es ist nicht so was … und ich wusste einfach nicht, wie … und –«

»Cammie!« Bex unterbrach mein Gefasel. Sie verschränkte die Arme und durchbohrte mich mit einem Blick, den ich lieben und fürchten (hauptsächlich fürchten) gelernt hatte und dem »Da ist aber eine Erklärung fällig!« abzulesen war. Ich wusste, ich konnte mein Geheimnis nicht länger für mich behalten.

»Ich hatte was gesehen«, sprudelte es aus mir heraus, aber ich verbesserte mich sofort: *»Jemanden.«*

Die Flure waren still und dunkel. Die Tage wurden kürzer. Der Sommer war vorbei. Vielleicht zitterte ich deshalb, als ich »Zach« sagte.

Wie lange hatte es gedauert, bis ich die ganze Geschichte erzählt hatte? Zweiundzwanzig Minuten und siebenundvierzig Sekunden.

Wie viel Zeit hätte ich gebraucht, um die Geschichte zu erzählen, wenn ich nicht ständig unterbrochen worden wäre? Zwei Minuten und sechsundvierzig Sekunden.

Wie oft hatte Liz »Nie im Leben!« gesagt? Dreiunddreißig Mal.

Wie oft hatte Bex mich mit ihrem »Du-hättest-mich-gefälligst-mitnehmen-können«-Blick durchbohrt? Neun Mal.

»Aber was hat er dort *gemacht?*«, fragte Liz schon wieder (zum siebten Mal, um genau zu sein).

»Keine Ahnung«, kam es als mühsames Gemurmel aus mir heraus. »In einer Minute denke ich noch, er hat gegen die Sicherheit verstoßen – also, technisch gesehen hat er ja gegen die Sicherheit …« Mir versagte kurz die Stimme. »Und in der nächsten schmeiß ich ihn schon auf den Boden und –«

»Schaust ihm tief in die Augen?«, riet Liz, weil Sicherheitsverstöße zwar schwerwiegend sind, aber Tief-in-die-Augen-Schauen *auf gar keinen Fall* unbeachtet bleiben darf.

»Hatten die Blackthorne-Typen dort vielleicht auch was zu erledigen?«, fragte Bex.

»Vielleicht«, sagte ich, aber ich glaubte nicht so recht daran. Ich dachte an Zachs geheimnisvolle Postkarte – seine Warnung – und an die Art, wie er mich angesehen hatte. »Irgendwas kam mir … anders vor.«

»Was denn?«, fragte Bex. Ich spürte, dass sie näher kam. Wie ein Tiger. Sie war gefährlich und wunderschön und unheimlich neugierig – wie eine Katze. »Woran denkst du?«

Ich wusste nicht, was beunruhigender war: dass es im Sicherheitsbereich von Macey eine Lücke gegeben hatte oder dass Zach durch diese Lücke geschlüpft war.

Ich dachte an den Jungen, der mich im vergangenen Frühling geküsst hatte, und an den, der mich unter der Tribüne angesehen hatte. »Er schien sich«, fing ich langsam an und versuchte immer noch, die Puzzleteile zusammenzufügen, »Sorgen zu machen.«

»Ui!«, quietschte Liz. »Er will dich beschützen!«

»Ich brauch nicht beschützt zu werden«, sagte ich, aber Liz zuckte nur mit den Achseln.

»Der gute Wille zählt.«

»Es gibt auch noch 'ne andere Möglichkeit«, sagte Bex mit einem verschmitzten Grinsen. »Vielleicht ist er unter die Tribüne geschlüpft, weil er wusste, dass du der Versuchung nicht widerstehen könntest, ihm unter die Tribüne zu folgen ...«

Sie brach ab, um ihre Andeutungen in der Luft schweben zu lassen, und schaute mich an, bis Liz sich nicht länger beherrschen konnte: »Damit ihr allein seid!«

Okay, ich will nicht angeberisch klingen. Oder unprofessionell. Oder naiv. Aber ist es falsch, zuzugeben, dass ich den ganzen Tag lang irgendwie gehofft hatte, dass das der Grund gewesen war? (Einerseits, weil so was für ein Mädchen ein guter Grund ist, andererseits, weil es für eine Spionin bedeutet, dass er nicht vorhatte, Hochverrat zu begehen.)

»Nein!«, stieß ich hervor. »Nein! Das ist unmöglich. Er hätte nicht die Schule verlassen und wäre bis nach Cleveland gereist, und er hätte sich nicht in einen abgesperrten Bereich geschlichen, nur um mich zu sehen.« Ich wandte mich an Macey, unsere Fachfrau für alles, was mit dem Thema *Jungs* zu tun hat. »Oder?«

»Guck *mich* nicht an«, sagte Macey und fuchtelte mit den Händen herum (die einen Ballerina, eine Jacke und einen

Wahlkampf-Button mit der Aufschrift LASS DEINEN WORTEN TATEN FOLGEN! festhielten). »Ich habe ein ganz anderes Jungs-Problem.«

Moment mal! MACEY McHENRY HATTE EIN JUNGS-PROBLEM? Ich war nicht sicher, ob ich richtig gehört hatte, und den anderen ging es anscheinend genauso.

»Jungs-«, stammelte Liz, »Problem. DU?«

Macey verdrehte die Augen. »Nicht *die* Art. Preston.«

»Oh«, sagte Liz und klang, ehrlich gesagt, viel zu kupplerisch. »Er ist doch irgendwie süß. Und wirklich sozial eingestellt. Ich hab nämlich einen Artikel gelesen –«

»Er ist ein Depp«, schnitt Macey ihr das Wort ab.

»Aber ihr habt doch so viel gemeinsam«, protestierte Liz. Macey funkelte sie an. »Ich meine, außer der Depp-Sache natürlich.«

»*Gemeinsamkeiten* werden überbewertet«, meinte Macey seufzend.

»Und was ist dann das Problem?«, fragte Liz.

»Das Problem ist, dass wir von drei durchtrainierten Agenten angegriffen wurden und überlebt haben, und nun darüber berichten können«, sagte ich, ohne selbst zu bemerken, dass ich die Antwort schon längst gewusst hatte.

»Du hast es erraten«, erwiderte Macey. »Und Preston war beeindruckt. Sehr beeindruckt.«

»Jungs machen also tatsächlich Mädchen an, die treten –«

»Bex!« Ich schnitt meiner besten Freundin das Wort ab.

Darf ich hier jetzt einfach mal erwähnen, dass es ziemlich schwierig ist, mit Jungs umzugehen, die Folgendes vorhaben:

A. Sie wollen mit dir ausgehen oder

B. dich umbringen oder

C. den Ursprung deiner irren Selbstverteidigungs-Methoden herausbekommen!

Und an jenem Tag hätte es durchaus möglich sein können, dass wir mit ALLEN DREI Möglichkeiten zu tun hatten!

Wird das Jungs-Drama in meinem Leben jemals vorübergehen?! Das möchte ich wirklich mal wissen.

»Selbst als ihr weg wart, konnte er die Klappe nicht halten«, schimpfte Macey.

»Du hättest ihm ja eins auf die Klappe geben können«, erwiderte Bex.

»Glaub ja nicht, dass ich nicht daran gedacht habe.«

Eine Gruppe Achtklässler ging an uns vorbei und sang aus vollem Hals, aber wir blieben in der dunklen Wandnische.

»Du lächelst«, sagte Macey bissig und vermutete wahrscheinlich, dass Bex etwas Bexisches im Sinn hatte. »*Worüber* lächelst du?«

»Über nichts«, antwortete Bex und schüttelte den Kopf. »Ich stell mir nur eben vor …«

Bex unterbricht sich normalerweise nicht. Sie weiß immer, was als Nächstes kommt, und fängt nichts an, was sie nicht zu Ende bringen kann. Vielleicht deshalb oder aufgrund der Art, wie das Lächeln aus ihrem Gesicht verschwand, zwang mich irgendetwas, die Luft anzuhalten, als sie sagte: »Ich stell mir nur eben vor, wie schockiert sie gewesen sein mussten. Sie dachten, sie wären hinter einem Mädchen her. Stattdessen bekamen sie es mit …«

»… Gallagher Girls zu tun«, beendete Liz den Satz für sie.

Die beiden lächelten sich an. Aber Macey und ich schauten nur ins Dunkel, und plötzlich dämmerte uns etwas. »Sie waren überhaupt nicht überrascht«, sagte ich.

Kapitel Fünfzehn

Ich habe die Geschichte ja schon erzählt, ich will sie nicht noch einmal erzählen. Das hier ist ein offizielles Protokoll – und hoffentlich muss ich zum letzten Mal die Frage beantworten: »Was ist im Sommer in Boston eigentlich passiert?«

Ich hab die Geschichte so oft erzählt, dass sie ganz automatisch aus mir herauskommt, wie ein Text in einem Schulbuch, den ich auswendig gelernt habe, wie ein Lied, das mir ununterbrochen durch den Kopf geht.

Und dann …

Dann änderte sich die Geschichte.

Die Fakten waren dieselben – ich hatte mich immer ganz genau an sie erinnert. Aber inzwischen wurde mir etwas anderes klar. Während der Film in meinem Kopf ablief, konzentrierte ich mich weder auf die Schläge noch die Fußtritte. Plötzlich sah ich die Augen vor mir und die Arme, die unsere Schläge abwehrten. Und ich erinnerte mich, dass niemand schockiert war, als Macey ein erstklassiges Malinowski-Manöver an einem Typ ausführte, der doppelt so groß war wie sie.

Eine Spionin ist nur so gut wie ihre Tarnung – wie ihre Legende. Die Bösen durften nicht die Wahrheit über uns erfahren.

Aber sie erfuhren sie doch.

»Bist du sicher?«, fragte mich Bex zum x-ten Mal. Wir kauerten zusammen am nächstliegenden, ruhigsten und sichersten Ort, den ich finden konnte, umgeben von den Resten des allerersten geheimen Brieftauben-Zuchtprogramms. Liz saß auf einem umgedrehten Taubenschlag. Ein weicher Nachtwind blies durch die Risse in der Mauer.

Roseville war nur drei Kilometer entfernt. Josh auch. Und die Normalität. Aber irgendwie hatte ich das Gefühl, dass mein erster Freund und sein ganz gewöhnliches Leben zu einer anderen Welt gehörten, als ich erst Bex ansah, dann Liz und schließlich Macey.

»Sie waren gar nicht überrascht«, wiederholte Macey und lächelte schief. Sie guckte mich an. »Wieso ist uns das nicht aufgefallen?«

Es war, als hätten wir bei einem Test die gleiche leichte Frage nicht beantworten können, und Macey musste über unsere Dummheit schallend lachen.

»Sooo …«, sagte Bex gedehnt, »sie wissen also Bescheid.«

Sie schaute aus den unverglasten Fenstern, als wären *sie* da draußen, während wir miteinander redeten, denn wenn sie wussten, wer wir waren … dann wussten sie auch, wo wir lebten.

»Aber das kann doch nicht sein!«, widersprach Liz. »Niemand kennt die Wahrheit über die Gallagher Akademie.«

Ich folgte Bex' Blick in die Finsternis und dachte an eine andere Nacht in einem anderen Raum, als Zach mich nach den mysteriösen Umständen des Todes meines Vaters gefragt hatte. Plötzlich fielen mir seine Worte wieder ein. Ich schlang die Arme um mich und wisperte: »Jemand weiß Bescheid.«

»Also haben sie auch gewusst, dass Macey ausgebildet wird«, sagte Liz. »Und trotzdem waren sie hinter ihr und Preston her?«

Ich sah, dass meine Freundinnen mich anschauten, und selbst in der Dunkelheit konnte ich die Wahrheit nicht länger verschweigen.

»Also …«, fing ich an, »auf dem Dach war Preston bei uns.«

»Ja, klar«, entgegnete Bex. Ich spürte, dass sie ungeduldig wurde, und redete schneller.

»Ich hab ihn rausgeholt, ihn vom Dach geschafft, und es war ihnen egal.«

»Was soll das heißen, Cam?«, fragte Liz.

»Sie meint, sie wollten ihn gar nicht haben«, sagte Macey. »Sie wollten *uns* nicht haben«, fügte sie lauter hinzu. Dann hob sie die Schultern. »Sie wollten *mich*.«

Ich hatte diesen Augenblick seit Tagen gefürchtet. Immer, wenn ich an das Mädchen am Teich dachte. Ich hatte mir Sorgen gemacht, wie sie die Sache aufnehmen würde – was die Sache mit *uns* machen würde. Aber seit Macey aus der Limousine ihrer Eltern geklettert war, hatte sie uns überrascht, und der heutige Abend war keine Ausnahme.

Sie schaute mich mit zusammengekniffenen Augen an und schüttelte den Kopf. Genauso sah sie aus, wenn sie eine Formel in Mr Mosckowitz' Stunde kapierte – als ob die Dinge endlich einen Sinn ergaben.

»Ich hol meine Mutter und Tante Abby«, sagte ich und ging an die Tür.

»Du glaubst, sie wissen es noch nicht?«, fragte Macey.

Die Wahrheit traf mich wie ein Schlag. Natürlich wussten sie Bescheid. Sie wussten ja schon *längst* Bescheid.

»Also waren sie hinter Macey her, trotz ihres Trainings …«, begann Liz.

»Oder *wegen* ihres Trainings«, mutmaßte Bex.

Und dann passierte etwas ganz Seltsames. Der Mond ging auf, voll und klar. Die Lichter von Roseville funkelten in der Ferne. Alles fühlte sich wieder lebendig an, Macey war es auch anzusehen. Sie wusste jetzt, dass es kein Zufall war. Es war Absicht gewesen, ein himmelweiter Unterschied.

»Die Frage ist dann also«, sagte Bex mit verschränkten Armen, »was machen wir jetzt?«

Observierungsbericht

Von Cameron Morgan, Macey McHenry, Elizabeth Sutton und Rebecca Baxter (nachstehend »die Agentinnen« genannt)

Während eines routinemäßigen zivilen Einsatzes wurden die Agentinnen McHenry und Morgan von Gestalten angegriffen, die eine unbekannte Organisation mit unbekannten Verbindungen und unbekannten Zielen vertraten.
Nach zwei Wochen ausgiebiger Recherche (und besonders raffiniertem Computer-Hacking durch Agentin Sutton) erfuhren die Agentinnen Folgendes:

Es wurden mindestens zwei Dutzend internationale Klagen gegen die Firma McHenry Cosmetics eingereicht (obwohl auf dem Etikett der Augenverjüngungscreme deutlich erklärt wird, dass vorübergehende Blindheit eine mögliche Nebenwirkung ist).

Sehr zu Maceys Erschütterung scheint der Senator McHenry keine unehelichen Kinder zu besitzen (soweit die Agentinnen informiert sind).
Kein Mensch, der eine größere Menge Anteile an der Firma von Maceys Mutter besitzt, hat damit gerechnet, dass der Aktienpreis nach dem Entführungsversuch in den Keller gehen würde.
Die Familie McHenry hat ungefähr sechsundsiebzig verärgerte ehemalige Hausangestellte (von denen, wie Macey schwört, nur fünfundsiebzig einen Grund haben, wirklich und wahrhaftig wütend zu sein).

Man kann sich leicht vorstellen, dass eine Familie, die aus Spionen besteht, viele Feinde hat. Wie sich aber herausstellte, war Politikern und Leuten, die halbwegs gefährliche Kosmetika herstellen, nichts nachzuweisen. Aber nachdem wir jedes zwielichtige Geschäft und jeden politischen Skandal durchleuchtet hatten, war die Liste der Verdächtigen lang geworden – so lang wie die Zahlenreihe von Pi, die Liz auswendig kennt –, und ich konnte nicht besser schlafen.

»Unmöglich«, sagte ich eines Tages beim S+V-Unterricht zu Bex, doch Bex hatte mich leider missverstanden, denn anstatt mitfühlend zu sein, packte sie meinen Arm und führte das perfekteste Axley-Manöver aus, das ich je gesehen hatte.

»Au«, stöhnte ich und schaute zu ihr hoch. Aber Bex lachte nur.

»Schwächling«, sagte sie. Dann machte sie einen Schritt zurück, um ihren Handgriff vorzuführen. »Es ist nicht unmöglich. Du brauchst nur dein Gewicht zu verlagern und in einem Gegen–«

»Nicht der Griff«, blaffte ich sie an, während ich mich aufrappelte, mein Gewicht verlagerte und es ihr zeigte. »Macey«, wisperte ich, als sie auf der Matte landete.

»Oh«, sagte Bex und starrte mich an.

Draußen verfärbten sich die ersten Blätter an den Bäumen, und der Wind wurde kühler. Der Herbst würde bald da sein, aber die Rätsel des Sommers waren immer noch lebendig.

»Ich hab sie angefasst, Bex«, sagte ich. Meine Stimme ging im ununterbrochenen Gestöhn und den Geräuschen der Fußtritte auf dem Dachboden beinah unter. Mein Atem wurde schneller. »Ich hab ihre Stimmen gehört und ihren Atem gerochen, und ich kann dir nichts anderes berichten als …« Ich brach ab, aber Bex, die nicht nur eine hervorragende Spionin, sondern auch meine beste Freundin ist, konnte meine Gedanken lesen: »Es war der Ring, stimmt's?«

Schweißperlen liefen mir von der Stirn bis zum Kinn, aber ich wischte sie nicht weg. »Ich hab das Wappen schon mal irgendwo gesehen.«

»Ich glaub dir, Cam«, sagte Bex. »Aber hast du es nicht gezeichnet, damit Liz es in der Datenbank der CIA suchen konnte?«

»Doch.«

»Und wenn sie so gut sind wie du meinst – glaubst du wirklich, dass die Frau einen Ring tragen würde, der uns zu ihr führt? Das wäre ein Fehler gewesen«, sagte Bex. Ich stand einfach nur da, und die unausgesprochene Wahrheit senkte sich auf uns: Sie machten keine Fehler.

»Morgan!«, rief unser Lehrer. »Baxter! Zurück an die Arbeit, bitte!«

Ich zog Bex auf die Füße.

»Weißt du«, fuhr Bex fort, »eine Quelle haben wir noch nicht erforscht.«

Durch das Fenster beobachtete ich, wie meine Mutter über das Gelände ging.

»Nein!«, stieß ich hervor, als Bex sich auf mich stürzte und ihr Fuß erschreckend nah an meinem Ohr vorbeizischte. »Ich spioniere meiner Mutter nicht wieder hinterher«, sagte ich wahrscheinlich zu laut, weil Tina Walters und Eva Alvarez nur drei Meter von uns entfernt waren.

»Wer redet denn von deiner Mutter?«, wisperte Bex und deutete auf die Felswand hinter uns und Mr Solomon.

»Nie im Leben«, erwiderte ich flüsternd. »Mom war schon schlimm genug, aber Mr Solomon wäre –«

»Schau noch mal!«, sagte sie leise.

Und dann sah ich, dass Mr Solomon nicht allein war. Dass jemand bei ihm war. Dass er lächelte. Dass sie lachten.

Und dass meine allerbeste Freundin von mir erwartete, dass ich meiner Tante Abby nachschnüffelte.

Ich würde gern darauf hinweisen, dass ich trotz des Gegenbeweises nicht gern gegen Regeln verstoße. Es macht mir keinen Spaß, die Privatsphäre von Leuten zu stören – schon gar nicht, wenn es Leute sind, die ich liebe. Und ich versuche, meine Nase niemals in die Angelegenheiten anderer zu stecken. Trotzdem wurde ich das Gefühl nicht los, dass das, was Macey passierte, zu meiner Angelegenheit geworden war, als ich dreißig Meter durch einen Blechkanal rutschte und in einer Karre voll schmutziger Wäsche landete.

Deshalb saßen wir an jenem Donnerstagabend in unserem Zimmer dicht gedrängt zusammen.

Und deshalb widersprach ich auch nicht, als Bex die Frage stellte: »Alles klar?«

Macey schnürte ihre Joggingschuhe und Liz packte ihre Taschenlampe, während ich nur dasaß und mir einredete, dass es ein großer Unterschied war, ob man jemandem nachspionierte oder nach*schnüffelte*, und dass es bei der Spionage nicht so sehr darum ging, peinliche Dinge herauszufinden, sondern vielmehr darum, Leben zu retten (und andere wichtige Sachen).

Macey war in Sicherheit. Der Geheimdienst und Tante Abby kümmerten sich darum. Aber wenn jemand Gallagher Girls jagte, dann hätten wir alle erst Ruhe, wenn wir wüssten, wer es war. Und warum.

Observierungsbericht

PHASE EINS

18 Uhr 30

In der Nacht zum 1. Oktober verkündete die Agentin McHenry allen, die sich nach dem Abendessen in der großen Halle versammelt hatten, dass sie im Wald joggen würde.

Die Agentin Abigail Cameron verkündete, dass die Schutzbefohlene nicht allein in den Wald dürfe und dass die Agentin Cameron Kopfschmerzen hätte und die Schutzbefohlene deshalb nirgends hingehen würde.

Die Agentin McHenry (auch als Schutzbefohlene bekannt) verkündete, dass sie joggen gehen würde, und wenn es der Agentin Cameron nicht passte, könnte sie ... (Nur so viel: Es war in arabischer Sprache und nicht sehr damenhaft.)

Die Agentin Cameron verkündete (lauter und auf Farsi), dass die

Schutzbefohlene das Gebäude nicht verlassen dürfe.

Die Agentin McHenry erwiderte (noch lauter), dass sie es TÄTE.

Und dann lief sie aus der großen Halle. Und zwar ganz schnell.

Der Agentin Cameron blieb keine andere Wahl, als hinter ihr herzurennen.

Als Bex und ich in dieser Nacht durchs Haus gingen, war mir ein bisschen schlecht – nicht wegen dem Ding, das wir drehen wollten, sondern weil ich Angst hatte, es könnte tatsächlich funktionieren. Ich würde vielleicht etwas lernen, das ich nicht wieder verlernen könnte. Und jeder Spion weiß, dass unser Leben aus unaufhörlichem Wissensdurst besteht, und zwar aus gutem Grund.

Ich schaute aus dem Fenster und sah eine verschwommene Gestalt, als Macey durch den Wald flitzte und Tante Abby ihr auf den Fersen folgte. Hinter einem Baum ging zweimal eine Taschenlampe an und aus. Das war Liz, die uns sagen wollte, die Luft sei rein. Alles verlief nach Plan, und trotzdem wurde ich nervös, als ich zum Zimmer meiner Tante ging und anklopfte, obwohl ich genau wusste, dass niemand antworten würde.

Es dauerte geschlagene zehn Minuten, um in Tante Abbys Zimmer einzubrechen. Echt. Zehn Minuten! Nicht unbedingt deshalb, weil meine Tante alle Überwachungsgeräte eingeschaltet hatte, die der Menschheit bekannt sind, sondern weil wir nicht sicher waren, *ob* sie diese eingeschaltet hatte. Und Bex und ich gingen kein Risiko ein. (Wir waren schließlich schon im zweitletzten Schuljahr!)

Als wir endlich Tante Abbys Zimmer betraten, hielt ich

aus irgendeinem Grund die Luft an. Unsere Taschenlampen huschten über einen Schrank voller Kleider, die ich noch nie an meiner Tante gesehen hatte. Auf einer Kommode stand viel Krimskrams – Andenken an andere Welten und andere Zeiten, und ich bezweifelte überhaupt nicht, dass jedes Stück eine Geschichte hatte, die mir fremd war. Ich hatte wochenlang ihren wilden Anekdoten gelauscht, aber jeder Spion lernt schnell, dass man von den Dingen, die am meisten zählen, nicht spricht.

Tante Abby war zu uns zurückgekehrt, aber ich brauchte mich nur ein Mal in ihrem Zimmer umzusehen und ich wusste, dass ein Teil von ihr noch immer in weiter Ferne war.

Der Strahl meiner Taschenlampe reflektierte im Spiegel und blendete mich. Ein winziges Schwarz-Weiß-Foto steckte dort in einer unteren Ecke. Ich stand lange davor und starrte auf das Bild mit meiner Tante, meinem Lieblingslehrer und meinem Vater – alle drei lachten über einen Witz, der längst vorbei war.

Sekundenlang vergaß ich, wonach wir suchten. Jemand war hinter Macey her, aber in diesem Moment war meine Tante das Rätsel, das ich lösen wollte.

»Cam.«

Bex' Stimme durchschnitt die Dunkelheit, während ihre Taschenlampe ein Bild anstrahlte, das ich eigentlich nie wieder sehen wollte.

»Das ist er«, murmelte ich und trat näher an das unscharfe Schwarz-Weiß-Foto heran – die Nahaufnahme einer Hand. Das Bild war nicht schlecht, wenn man bedachte, dass ein NSA-Satellit es aus ein paar Hundert Meilen Entfernung von der Erde geschossen hatte. Die Gesichter waren nicht sichtbar, und ich hätte meine eigene Schulter und meinen Nacken fast nicht erkannt. Aber die Hand und der Ring waren eindeutig auszumachen.

»Erinnerst du dich?«, fragte ich und spürte, dass mein Herz schneller schlug, weil ich endlich den Beweis vor mir hatte, keiner Fantasievorstellung nachzujagen.

Bex schaute genauer hin. »Vielleicht«, sagte sie. Dann schüttelte sie den Kopf. »Ich weiß nicht.«

18 Uhr 30

Der Agentin Cameron gelang es, die Agentin McHenry zum Ausgangsort zu zerren.

Leider hatten die Agentinnen Morgan und Baxter davon keine Ahnung.

»Oh, Joe!«, hallte die Stimme von Tante Abby im Flur. »Du bringst mich noch in Schwierigkeiten!«

Ich erstarrte und war nicht sicher, was erschreckender war: der Ausdruck in Bex' Gesicht, das Lachen meiner Tante, das nach Flirten klang, oder das Geräusch eines Schlüssels an Tante Abbys Tür.

Ich hatte keine Ahnung, was ich machen sollte. In der Regel ist Verstecken nie eine gute Idee. »Im Zweifelsfalle abhauen«, sagt Mr Solomon immer. Aber wie würde er reagieren, wenn er einen auf frischer Tat ertappte?

»Bett!«, stieß ich hervor und packte Bex im Nacken. »Sofort!«

Als ich unter Tante Abbys Bett kroch, musste ich unwillkürlich an die vergangenen vier Jahre denken, in denen ich mich mindestens eintausend Mal gefragt hatte, wo sie war und was sie tat. (Notiz an mich: Immer ganz genau überlegen, was du dir wünschst!)

»Oh, Joe, hör auf!«, kicherte meine Tante, als die Tür knarrend aufging. »Was, wenn Rachel davon erfährt? Das würde sie mir nie verzeihen!«

In der Dunkelheit unter dem Bett guckte mich Bex an, die Augen weit aufgerissen und funkelnd wie der Mond, während sie tonlos das Wort »Solomon« formulierte.

Ich wollte mir die Ohren zuhalten und singen. Ich wollte in ein anderes Zimmer – auf einen anderen Stern – flüchten, stattdessen kniff ich die Augen zusammen.

Weshalb ich nicht sah, wie die Tagesdecke nach oben flog und zwei Hände meine Knöchel packten.

Mein Rücken glitt über den Holzboden, als eine gewaltige Kraft mich aus meinem Versteck riss.

Meine Tante starrte auf mich herab und sagte: »Hey, Krümel.«

Die gute Nachricht war, dass Mr Solomon nirgends zu sehen war, die schlechte, dass meine Tante uns mühelos gefunden hatte.

»Bex, Liebes, könntest du uns für eine Minute allein lassen?«

Bex schaute mich an. Eine der wichtigsten Regeln für ein Gallagher Girl ist einfach: Lass deine Schwester niemals im Stich! Aber dieser Fall war anders, und das wussten wir beide.

»Bis später«, meinte ich, als sich Bex entfernte.

Die Tür fiel hinter ihr zu, und Tante Abby wandte sich an mich: »Du bist wirklich groß geworden.«

»Tante Abby«, sagte ich schnell, »es …«

Ich hatte »tut mir leid« sagen wollen, aber Tante Abby beendete den Satz für mich: »… ist danebengegangen.«

Sie ließ sich aufs Bett fallen und zog einen schwarzen (vom Geheimdienst gestellten) Loafer aus, der mit Schlamm verschmiert war.

Ich schaute mich im Zimmer um. »Äh … wo ist Mr Solomon?«

»Keine Ahnung.« Tante Abby hob die Schultern. Sie musste mir angesehen haben, wie verdutzt ich war, denn sie äffte sich selber nach: »Oh, Joe!« Sie lachte. »Krümel, du hättest dein Gesicht sehen sollen!«

»War ich so leicht zu finden?«, fragte ich.

»Nein, überhaupt nicht«, sagte Tante Abby, und so verrückt es klingen mag – ich war ein bisschen stolz. »Aber unterm Bett liegen ist eine alte Familientradition.«

»Warum? Hat meine Mutter –«

»Oh, nicht deine Mutter«, unterbrach mich Tante Abby. Sie hob eine Augenbraue. »Dein Vater.«

Dein Vater, hatte sie gesagt. Es war einfach so … herausgerutscht. Mein Vater war ständig bei meiner Mutter und mir, aber wir erwähnten ihn nie. Dad war wie ein Gespenst, vor dem nur Tante Abby sich nicht fürchtete. Sie ging an ihre Kommode und zog eine Tüte M&Ms aus der Schublade.

»Willst du eins?«, fragte sie und hielt mir die Tüte hin. Mir fiel ein, wie ich Zach kennengelernt hatte, aber der Gedanke löste sich schnell wieder auf.

»Dein Vater war ganz verrückt nach Süßigkeiten!«, erklärte Tante Abby und ließ sich wieder aufs Bett sinken. »Das hast du von ihm, weißt du? Ich erinnere mich, dass wir einem Doppelagenten mal durch einen Bazar in Athen gefolgt sind, und da war eine Frau, die Pralinen verkaufte. Und die sahen so köstlich aus! Ich merkte, dass dein Vater große Mühe hatte, die Zielperson im Auge zu behalten. Aber er war ein Straßenkünstler – das weißt du, nicht wahr? Er folgte also diesem Typ, während ich auf einem Balkon im zweiten Stock stand, das Ganze observierte und nach Langley schickte. Dein Vater war ein echter Profi, aber er war offensichtlich so scharf auf etwas Süßes, dass er es kaum noch aushielt. Das einzige Problem …«

Ich beobachtete meine Tante beim Erzählen. Ihre Augen leuchteten, und die Worte kamen ihr so leicht von der Zunge, wie ich es noch nie erlebt hatte. Es war nur eine komische Story, ein witziges Erlebnis. Natürlich war das Ganze geheim und gefährlich und vielleicht verletzte sie ein Dutzend CIA-Gesetze, weil sie mir alles erzählte – trotzdem redete sie in einem fort und ich lauschte.

»Also, die Sache ist die«, sagte sie schließlich und beugte sich näher zu mir. »Es war wahnsinnig voll, und man braucht nur im falschen Augenblick zu zwinkern und schon hat man jemanden aus den Augen verloren. Es ist wirklich schwierig, Leute zu beschatten, verstehst du? Ich stand also oben auf dem Balkon, und das Zimmermädchen wollte rein und sauber machen. Sie schrie und ich schrie zurück und schaute nur … ich weiß nicht … zwei Sekunden lang weg. Ehrlich, auf gar keinen Fall länger! Und als ich wieder hinsah, hatte dein Vater Schokolade im Mund und lächelte.«

Tante Abby warf den Kopf zurück, und ein Teil von mir wollte mitlachen. Ich versuchte, mir meinen Vater lebendig und weit entfernt von dieser Welt vorzustellen. Aber der andere Teil von mir wollte weinen.

»Bis heute weiß ich nicht, wie er es geschafft hat. Ich hab mir auch die Aufnahmen angeschaut.« Sie rieb sich die Hände, als ob sie den Staub eines alten Rätsels abwischen wollte, das sie bisher nicht lösen konnte. »Es war nichts zu erkennen.« Dann blickte sie mich wieder an. »Er war einfach *so* gut.«

Sie rutschte auf dem Bett weiter nach hinten und meinte: »Auch *du* bist so gut.« So, wie sie mich ansah, war klar, dass sie das nicht als Tante sagte, sondern als Spionin.

Aber ich wollte nicht mit meinem Vater verglichen werden, nicht so, das hatte ich nicht verdient. »Nein, bin ich nicht.«

»Okay, vielleicht hast du recht«, gab Tante Abby zu, und ich war ein bisschen verletzt, obwohl ich ihr doch selbst widersprochen hatte. Dann zog sie eine Augenbraue hoch. »Aber irgendwann wirst du es sein.«

Ein neues Gefühl durchfuhr mich – Erleichterung. Ich fühlte mich … wie ein junges Mädchen, das noch nicht alle Antworten kennt – was aber in Ordnung war, weil ich noch Zeit zum Lernen hatte.

»Dann erzählst du meiner Mutter nichts?«

»Warum sollte ich?« Tante Abby sah mich an. »Damit sie auf uns beide böse ist?«

»Weshalb sollte sie dir böse sein, Tante Abby?«

»Weil ich dir das hier gezeigt habe.« Der Knall eines dicken Schmökers, der auf ihre Kommode fiel, erschreckte mich. Die Seiten schienen zu pfeifen, als sie darin herumblätterte.

»*Das Buch der Bedrohungen*«, erklärte mir meine Tante. Der Einband konnte die vielen Seiten fast nicht zusammenhalten. »Und nur für diesen Monat. Nur für Macey, den Rest der McHenrys nicht mitgezählt.« Sie blätterte weiter, aber ich traute mich nicht, ins Buch zu schauen. »Wir heben jeden Brief, jede E-Mail, jeden Notruf und jede verrückte Karte, die in gelieferten Blumensträußen steckt, auf. Wir heben alles auf, Cam, und analysieren es, untersuchen es und tun, was wir immer tun.«

Sie blätterte ein letztes Mal in dem dicken Buch und wiederholte: »Das ist *nur für diesen Monat.*«

Jeder Spion weiß, dass das, was man nicht sagt, genauso wichtig ist – vielleicht sogar noch wichtiger – als das, was man tut. Tante Abby sagte mir *nicht,* dass das, was vor sich ging, viel größer war als vier Gallagher Girls in der Ausbildung und ein geheimer Raum. Sie sagte mir *nicht,* dass es eine Menge Spinner auf der Welt gab und dass viele von einer meiner besten Freundinnen fasziniert waren – vielleicht das Einzige, wovon ich total überzeugt war.

Bevor ich zur Tür ging, hatte ich noch eine Frage.

»Was bedeutet das Symbol?« Ich zeigte auf das Satellitenfoto der Hand, das auf den Fußboden gefallen war. Meine Tante blickte mich kurz an.

»Ich bin nicht sicher. Das ist eine der Spuren, die wir verfolgen. Wahrscheinlich nichts. Sie waren zu gut, um einen Fehler zu machen, der uns zu ihnen geführt hätte.«

»Das sagt Bex auch.«

»Bex ist gut.«

»Ja«, erwiderte ich und drehte mich um. Dann blieb ich stehen. »Ich hab es schon einmal gesehen … lange vor Boston.«

»Weißt du noch wo?«, fragte Tante Abby. Ihre Augen leuchteten wieder auf. Es kam mir vor, als würden wir eine Art Spionagespiel spielen, wobei wir beide darauf warteten, dass der andere zuerst zwinkerte.

»Es wird mir schon wieder einfallen«, bemerkte ich, was ihre Frage nicht beantwortete, aber okay zu sein schien. Ich hatte den Eindruck, dass es nicht darauf ankam.

»Wenn es dir einfällt, lass es mich wissen«, sagte sie, und ich hätte die Farm (oder besser gesagt: Grandmas und Grandpas

Farm) verwettet, dass sie schon längst Bescheid wusste. Ich war auf halber Strecke zur Tür, als sie »Cam!« rief. Sie hielt mir ein Stück Papier entgegen. »Da du nun schon mal da bist – macht es dir was aus, das Macey zu geben?«

Ich stand lange im Flur und las die erste Zeile immer und immer wieder, und ich wünschte mir, dass die Notiz auf Evapopapier geschrieben wäre und ich etwas tun könnte, damit die Wörter verschwanden.

Zeitplan: Samstag, 05 Uhr – der Pfau verlässt die Gallagher Akademie, um sich nach Philadelphia, PA, zu begeben.

Dinge, die man tun kann, wenn das Leben einer besten Freundin in Gefahr ist, sie ihrem Vater aber beim Wahlkampf helfen muss, damit er Vizepräsident wird, auch wenn man sie überhaupt nicht gehen lassen will:

1. Mr Mosckowitz überreden, die Übung vorzuziehen, bei der die Neuntklässler (zu denen Macey gehört) in ein Zimmer gesperrt werden und erst wieder herauskommen können, wenn sie die Epstein-Gleichung gelöst haben.

2. In Datenbanken des Geheimdienstes eindringen und andeuten, dass die oben genannte Mitbewohnerin unglaublich gefährliche Drohungen gegen einen anderen Schützling, nämlich Preston Winters, ausgestoßen hat (was übrigens stimmt).

3. Wenn die Mitbewohnerin auf die experimentelle Nachtcreme ihrer Mutter allergisch reagiert und einen schreck-

lichen Ausschlag bekommt, der sie ausgesprochen unfotogen werden lässt (was zudem unentschlossene Frauen im Alter zwischen 21 und 42 Jahren davon abhalten würde, die Creme auszuprobieren), müsste sie an der Wahlkampagne vielleicht nicht teilnehmen!

4. Ein Wort: Lebensmittelvergiftung (als allerletzter Ausweg)

Das waren wirklich gute Pläne. Schließlich hatten Bex und ich nicht umsonst bei einem Test für Mr Solomon mit dem Titel »Logistisches Denken und Planen für den Erfolg« bestens abgeschnitten. Logistisch gesprochen, waren wir so geheim vorgegangen, wie es nur möglich war, ohne Macey gleich an ihren Schreibtischstuhl zu fesseln (ein Plan, den Bex schon öfter erwähnt hat).

Aber Mr Mosckowitz hatte dieses Jahr nicht vor, die Versperrte-Raum-Prüfung durchzuführen, weil er seit einem streng geheimen Auftrag im Sommer, an dem ein Dixi-Klo und zwei libanesische Friseure beteiligt waren, an Klaustrophobie litt.

Und wie sich herausstellte, nimmt der Geheimdienst Todesdrohungen von Schutzbefohlenen nicht allzu ernst.

Vor allem nicht, wenn es sich bei diesen Schutzbefohlenen um Mädchen handelt. Und nicht einmal, wenn die Mädchen Gallagher Girls sind.

Außerdem hätten wir wissen sollen, dass Macey nie einen Pickel bekommt. Niemals! Das wäre naturwidrig oder so was Ähnliches.

Und vor allem konnte der letzte Teil unseres Masterplans nicht funktionieren, weil ein Mensch unmöglich eine Lebensmittelvergiftung bekommen kann, wenn er nichts isst.

Ich wusste nicht, ob es die Nerven waren oder Angst oder ob sie sich wirklich wieder in die Macey verwandelte, die sie war, als sie vor einem Jahr zu uns kam, aber wir saßen Abend für Abend am Tisch der zweitletzten Klasse in der großen Halle, während unsere Mitbewohnerin das Essen auf ihrem Teller herumschob, nichts aß und nicht lachte. Sie wartete nur darauf, was als Nächstes passierte.

»Das ist schlecht«, meinte Liz am Freitagmorgen nach der Kultur-und-Anpassungs-Stunde. Die Flure füllten sich. Und die Zeit verflog.

»Wir könnten immer noch –«

»Nein!«, schrien Liz und ich gleichzeitig, weil wir fanden, dass dies nicht der richtige Ort und Zeitpunkt war, um an Bex' »Niemand kann aus meinen Henkersknoten schlüpfen!« erinnert zu werden, und Macey machte der Diskussion dann sowieso ein Ende.

»Schon okay«, sagte sie und wandte sich ab, um Dr. Fibs' Labor anzusteuern. »Danke für eure Hilfe und alles, aber ich muss gehen.« So, wie sie es sagte, war klar, dass ihre Abreise nicht mehr zur Debatte stand. Sie zuckte mit den Achseln und fügte hinzu: »Es gehört zu meinem Job.«

Ich hätte mich mit Macey streiten können, ich hätte sie anflehen können, aber in diesem Augenblick wusste ich, dass Bex und ich nicht die Einzigen waren, die in einen Familienbetrieb hineingeboren waren – ein genetisches Schicksal. Maceys erster vollständiger Satz war »Daddy wählen« gewesen, und weder ein Entführungsversuch noch Abschlussprüfungen in der Schule oder wir drei konnten sie vom Wahlkampf fernhalten.

Während Bex mich in Richtung Fahrstuhl zum zweiten Untergeschoss zog, verstummten die Geräusche in den Korridoren und wurden vom Schnurren des Aufzugs und dem Lärmen ganz neuer Sorgen in meinem Kopf abgelöst.

»Was ist?«, fragte Bex.

»Zach«, sagte ich wie betäubt.

»Cam, er *ist* ein traumhafter Typ, das muss ich zugeben, aber ich glaube echt nicht, dass Jungs im Moment das Wichtigste sind.«

»Zach ist durchgekommen.«

Ich dachte daran, wie er hinter der Tribüne stand. Ich dachte an mich, wie *ich* hinter der Tribüne stand. Da, wo niemand hindurfte. »Zach ist trotz der Wächter durchgekommen. Wenn er …« Ich verstummte, weil ich das Schlimmste, das mir durch den Kopf ging, nicht aussprechen wollte. Bex nickte, weil sie es nicht hören wollte.

Einen Augenblick später verließen wir den Fahrstuhl. Unsere Schritte hallten auf der sich windenden Rampe. Tiefer und tiefer liefen wir in den Untergrund der Schule hinein.

»Mach dir keine Sorgen, Cam«, sagte Bex, die überhaupt nicht außer Atem war. »Wir denken uns was aus. Falls Mr Solomon uns nicht umbringt, wenn wir zu spät kommen.«

Doch dann blieb sie stehen. Einerseits, glaube ich, weil wir endlich vor dem Klassenzimmer ankamen, und andererseits, weil unser Lehrer – vielleicht unser bester Lehrer, unser strengster Lehrer – nirgends zu sehen war.

Ich weiß nicht, wie sich normale Mädchen verhalten, wenn der Lehrer nicht da ist, aber Gallagher Girls werden sehr still. Unheimlich still. Denn Agenten lernen in der Ausbildung schon sehr früh, dass man nie ganz sicher sein kann, ob man allein ist.

Also sagte Bex nichts. Ich sagte nichts. Selbst Tina Walters war sprachlos.

»Ihr seid in der vorletzten Klasse?«

Diese Stimme war mir fremd. Ich drehte mich um und sah ein Gesicht, dass ich nicht kannte. Ein Mann. Ein älterer Mann in der Kleidung eines Hausmeisters der Gallagher Akademie. Auf seinem Namensschild stand »Art«. Er starrte uns an, als wüsste er, dass wir für den schrecklichen Salzsäurefleck im Labor von Dr. Fibs persönlich verantwortlich waren. Es hatte Wochen gedauert, ihn zu entfernen.

»Solomon hat gesagt, ihr seid die Elftklässler.«

»Ja, Sir«, sagte Mick, weil wir erstens alle seit der siebten Klasse *Kulturunterricht* bekommen und Madame Dabney ihren Job gut macht, und zweitens jeder in der Gallagher Akademie mehr ist als er scheint.

Wir sehen wie normale Mädchen aus, aber wir sind es nicht. Unsere Lehrer würden in keiner Privatschule der Welt auffallen, aber sie sind doch viel mehr. Jedes Mädchen im Raum wusste, dass jemand, der seinen Ruhestand als Hausmeister in der Gallagher Akademie verbringt, sich einer strengen Sicherheitsprüfung unterziehen musste und über enorme Fähigkeiten verfügt. Schließlich ist man aus gutem Grund an der Schule. Also war Art für uns ein »Sir«. Zweifelsohne.

Trotzdem sah er uns an, als wären *wir* genau das, was er erwartet hatte.

Als er sich umdrehte und aus der Tür ging, starrten wir ihm hinterher. Dann blieb er stehen und rief über die Schulter: »Na? Kommt ihr jetzt mit oder nicht?«

Wir standen auf und folgten Art auf demselben Weg, den wir gekommen waren. Niemand erkundigte sich nach Mr Solomon, aber ein Blick auf die Mädchen, die hinter dem Hausmeister herliefen, sagte mir, dass wir uns alle genau die gleiche Frage stellten.

Besser gesagt: zwei Fragen. Erstens, wo war Mr Solomon? Und zweitens, was war mit Art passiert?

Der Mann humpelte, wobei sein rechter Fuß nie ganz auf dem steinernen Boden landete. Die linke Hand hing in einem komischen Winkel an seiner Seite, und dicke, flaschenbodenartige Brillengläser mussten dafür sorgen, dass er die Welt mit ganz anderen Augen sah.

Aber nichts davon hinderte ihn daran, »Walters!« zu blaffen, als Tina Eva etwas zuflüsterte, also konnte ich davon ausgehen, dass sein Gehör noch intakt war.

Wir kamen an uralten Holztüren mit Schlössern vorbei, die aussahen, als ob sie tonnenschwere Schlüssel brauchten. Wir stiegen höher, an Räumen vorbei, die an alte Horrorfilme erinnerten.

Als wir fast oben waren, gingen wir schneller auf den Fahrstuhl zu, weil wir glaubten, dass wir klug, erfahren und gerissen genug waren, um zu erahnen, was als Nächstes passierte. Aber eine der goldenen Regeln der Geheimoperationen ist: Immer vorausschauen, sich niemals festlegen. Und jetzt war der richtige Zeitpunkt, um sich daran zu erinnern.

Weil Art »Meine Damen!« rief und die ganze Klasse schlitternd zum Stehen kam. Er stand vor einer der riesigen Türen, die ich bisher noch nie offen gesehen hatte, streckte die Hand aus und drückte auf einen Schalter. Ein Licht ging an und tanzte über den Steinfußboden, als Art mit seinem krummen Bein einen Schritt machte.

»Bex«, sagte ich flüsternd. »Kommt er dir irgendwie …«

Aber ich sprach meinen Satz nicht zu Ende. Ach, wem mache ich hier etwas vor – ich *konnte* nicht zu Ende reden. Weil der Raum, den wir betraten, kein gewöhnliches Zimmer war. Es war kein Raum für eine normale Klasse.

An zwei langen Wänden reihten sich Kleidungsstücke. In der Mitte standen Regale mit allem möglichen Zubehör. Spiegel hingen in einer langen Reihe an der hinteren Wand. Kommoden und Schubladen, die alle ordentlich beschriftet waren, erwarteten uns.

»Es ist ein begehbarer Kleiderschrank!«, staunte Eva.

»Und er ist … *riesig!*«, sagte Tina.

Ich weiß, dass normale Mädchen begeistert wären, sich in einem Kleiderschrank wiederzufinden, der doppelt so groß wie die meisten Häuser am Stadtrand war. Aber nicht in diesem Schrank. Diesen begehbaren Kleiderschrank wusste nur ein Gallagher Girl zu schätzen.

Wir gingen alle hinein und ahnten, dass uns eine Unterrichtsstunde bevorstand, die völlig anders war als alles, was wir bis jetzt erlebt hatten.

Eva langte nach einem anderen Schalter, und die Lampen an den Spiegeln beleuchteten Hüte und Perücken, Brillen und falsche Zähne. Mäntel und Schirme.

Ich guckte den Mann an, der uns hierher gebracht hatte. Ich wandte meinen Blick von seinem verkrüppelten Bein und dem übel zugerichteten Arm ab … und wusste Bescheid.

Art betrat die Mitte des Raums und sagte: »Meine Damen.« Er nahm seine Brille mit dem linken Arm ab, der zum ersten Mal normal und gerade aussah. Er schleuderte den rechten Schuh weg, hob ihn auf, ließ einen kleinen Kieselstein in seine Hand fallen und stand dann völlig gerade auf seinem rechten

Bein. Am Ende riss er sich die graue Perücke vom Kopf und ließ sie auf das niedrige Regal fallen, das so lang war wie der Raum.

Tina Walters schnappte nach Luft. Anna Fetterman stolperte rückwärts. Mr Solomon war der Einzige, der lächelte, als er die Arme schwenkte. »Kleine Veränderungen, große Wirkung.«

Er knöpfte sich »Arts« Hemd auf und stand dann im weißen T-Shirt vor uns (die schwarze Hose behielt er an). »Willkommen in der Wissenschaft der Verkleidung!«

Eine volle Minute später starrte die halbe Klasse immer noch auf Mr Solomon und fragte sich, wie der alte und irgendwie bedauernswerte Art der total scharfe Typ sein konnte, den wir seit über einem Jahr jeden Tag in der Schule gesehen hatten.

Aber ich drehte mich um und betrachtete den Wunschtraum eines Chamäleons: einen Ort mit dem einzigen Zweck, einem Mädchen beim Verschwinden zu helfen.

Und dann sah ich Bex an, und meine Freude verwandelte sich sofort in Unbehagen.

Weil sie lächelte. Und nickte. Und flüsternd fragte: »Plan B?«

Kapitel Sechszehn

Observierungsbericht

Nachdem die Agentinnen Morgan, Baxter und Sutton erfuhren, dass die Agentin McHenry durch eine Person (oder Personen) gefährdet ist, die die wahre Identität der Gallagher Akademie für außergewöhnliche junge Frauen kennt (oder kennen), entschlossen sie sich zu einem Beschattungseinsatz, um die Sicherheit der Agentin McHenry zu gewährleisten.
Was auch eine Menge Schatten von der Art erforderte, die auf Augenlidern zu finden ist.

War es verrückt? Ja.

War es notwendig? Vielleicht.

Gab es eine Möglichkeit, Bex die Sache auszureden? Nur, wenn wir uns hätten einigen können, den Henkersknoten anzuwenden, also war die Beschattung wohl doch das Beste.

Wir verbrachten den ganzen Freitagnachmittag mit Recherchieren, Planen und dem emsigen Beschaffen von Zubehör, aber am Samstagmorgen ging ich mit Bex und Liz durch die Korridore und musste gegen Gefühle von Nostalgie und Nervosität ankämpfen, die sich mit jedem Schritt zu verstärken schienen.

Schließlich hatte ich mich seit Monaten nicht mehr (inoffiziell) außerhalb unseres Grundstücks aufgehalten, keinen der geheimen Gänge betreten und gegen keine Regeln verstoßen. (Jedenfalls gegen keine *wichtigen* Regeln.)

Aber als ich nach der Statue der Rozell-Schwestern griff (eineiige Zwillinge und Gallagher Girls, die im Ersten Weltkrieg – im wahrsten Sinne des Wortes – als Doppelagentinnen gearbeitet hatten), wurde ich das Gefühl nicht los, kurz davor zu sein, uns Zutritt in etwas viel Dunkleres und Tieferes als alle geheimen Gänge zu verschaffen, die ich bisher gefunden hatte.

Und das war noch, bevor ich Liz »Iiiieh!« schreien hörte und sah, wie sie einen Satz zurück machte, über Bex' Fuß stolperte und an die Wand knallte, wobei sie sich den Ellbogen aufschürfte.

Die Agentinnen brachten die notwendige Ausrüstung für eine Täuschungs- und Verkleidungs-Operation mit.
Sie brachten jedoch nicht die notwendige Ausrüstung für das Töten von Spinnen mit.

Verstaubte Spinnweben hingen wie kleine Bewegungsmelder der Natur zwischen den Balken der niedrigen Decke. Die größten Spinnen, die ich je gesehen hatte, flohen vor dem Licht, und ich stand nur da und dachte an die vielen, vielen Gründe, weshalb ein Gallagher Girl nie aus der Übung kommen sollte. Erstens willst du die Nerven nicht verlieren. Zweitens weißt du nie, wann du auf deine antrainierten Fähigkeiten zurückgreifen musst. Und wenn du drittens deine geheimen Gänge über einen langen Zeitraum nicht benutzt, neigen *andere Dinge* dazu, sie in deiner Abwesenheit in Beschlag zu nehmen.

Selbst Bex machte einen Riesenschritt rückwärts. (Weil Bex zwar jederzeit bereit ist, es mit drei bewaffneten Angreifern gleichzeitig aufzunehmen, aber Spinnen doch etwas ganz anderes sind.) Ich sah Liz an. Hier waren wir also, am sichersten Ort des Landes, und trotzdem blutete sie.

»Hey, Liz, vielleicht solltest du lieber hierbleiben. Du könntest eine Nachrichtenzentrale einrichten und leiten, meinst du nicht?«

»Das geht besser vor Ort«, erwiderte sie.

»Und du könntest was erfinden«, schlug ich vor, »falls jemand nach uns fragt.«

»Es ist Samstag«, erinnerte sie mich. »In einem riesigen Gebäude. Und du bist berühmt dafür, irgendwo da drin zu verschwinden.«

»Aber –« Ich wusste nicht, was über mich kam, aber plötzlich fand ich, mein Spitzname sollte nicht mehr Cammie, das Chamäleon, sondern *Cammie, die Komplizin*, sein. Ich war kurz davor, (wieder mal) aus meiner Schule auszubrechen und (wieder mal) etwas zu tun, was ich nicht durfte. Aber das war es nicht, was mir Sorgen machte, als ich erst Liz anschaute, die keinen Zentner wog, und dann den geheimen Tunnel, der uns vielleicht zu den richtig Bösen mit richtigen Waffen führte. »Liz, es ist nur –«

»Warum sagst du Bex nicht, dass sie dableiben soll?«, kam es giftig von Liz, obwohl wir die Antwort alle wussten: Bex würde sich die Sache niemals entgehen lassen, höchstens bewusstlos.

Und gefesselt. Und in einem Betonbunker eingesperrt. In Sibirien. Ein Gedanke, bei dem ich fast lachen musste.

Aber als ich Bex antworten hörte: »Vielleicht solltest du das Ganze doch lieber aussitzen, Lizzie«, wusste ich, dass meine beste Freundin das Gleiche dachte wie ich. Wenn wir erst einmal draußen wären, gäbe es vielleicht kein Zurück mehr. Und zwar aus vielerlei Gründen.

Liz ist ein Genie – ein Genie, das uns alle in den Schatten stellt. Sie blickte mit Sicherheit durch. Sie hatte sich wahrscheinlich schon ausgerechnet, wie hoch das Risiko für uns war, erwischt, verletzt und (falls der Gedanke für sie nicht allzu qualvoll war) im nächsten Zeugnis um eine ganze Note herabgestuft zu werden. Dennoch drehte sie sich trotzig um und schob sich durch die Spinnweben.

Wir konnten unsere Spuren nicht verwischen, es gab kein Zurück. Also machte Bex vor der Tür eine Armbewegung und sagte: »Nach euch.«

Ich trat hinaus in die Dunkelheit, allein mit meiner Ausbildung, meiner Tarnung und meinen Freundinnen bewaffnet, die mir bis ans Ende der Welt folgen würden, egal, was uns auf der anderen Seite erwartete.

Wie sich herausstellte, erwartete uns ein Minivan der Marke Dodge, Jahrgang '87.

Und Liz hatte den Schlüssel.

»Liz«, sagte ich und ging auf sie zu. Ich betete, dass niemand vorbeifuhr und uns sah. (Weil wir *echt* nicht da sein durften und weil es ein unheimlich hässliches Auto war.)

Aber Liz meinte nur: »Steigt ein!« Und dann: »Wer fährt?«

Bex langte nach dem Autoschlüssel, aber da sie meist vergisst, auf welcher Straßenseite bei uns gefahren wird, riss ich ihn ihr aus der Hand.

»Liz«, sagte ich wieder und beäugte die verrosteten Kotflügel, »als du gesagt hast, dass du ein Fahrzeug beschaffen kannst … Wo hast du es her?«

»Das ist ein Projekt«, antwortete sie und schnallte sich auf dem Rücksitz an.

Ich zog auf der Fahrerseite an der Tür und dachte kurz, sie würde abfallen. Dann schaute ich mir den Sitz an. Die Füllung platzte aus den ausgefransten Nähten. Das Lenkrad wurde nur von Klebstreifen zusammengehalten.

»Was für ein Projekt?«, fragte ich und fürchtete mich fast vor der Antwort, weil mir irgendetwas sagte, dass wir die Ziele unserer Mission nie erreichen würden, wenn wir den Minivan bis nach Philadelphia schoben.

»Komm, gib schon her!« Bex nahm mir den Schlüssel aus der Hand. Sie steckte ihn mit Wucht ins Zündschloss, drehte ihn um und … nichts.

»Na, toll!«, gab ich bissig von mir. »Springt nicht an.« Aber dann merkte ich, dass der Motor fast geräuschlos lief.

»Neue Technik«, sagte Liz achselzuckend. »Dr. Fibs hat mir geholfen. Wir sind jetzt bei ungefähr sechzig Meilen pro Liter«, meinte sie mit einem kaum merklichen angeberischen Lächeln. »Aber ich glaube, bis Weihnachten kann ich fast achtzig aus ihm herausholen.«

Und wer behauptet, dass Gallagher Girls, die in die Forschung gehen wollen, nie die Chance bekommen, die Welt zu retten?

Die nächsten Stunden verbrachten wir schweigend. Falls mit schweigend gemeint ist, dass Liz ununterbrochen quasselte, was sie immer tut, wenn sie nervös ist, und Bex sie total ausblendete, was sie immer tut, wenn *sie* nervös ist. Und ich? Ich fuhr nur und lauschte dem Regen, der anfing, als wir die Grenze zu Pennsylvania passierten. Die Scheibenwischer waren wohl weniger *Hightech* als der Motor, weil sie sich immer wieder verklemmten und auf dem Glas Streifen hinterließen, weshalb ich im Scheinwerferlicht vorbeifahrender Autos nichts mehr sah. In Philadelphia angekommen, war die komplette Scheibe verschmiert.

»Rechts rum«, sagte Liz und navigierte uns durch schmale, mit Kopfstein gepflasterte Straßen. Gebäude, die älter als die Unabhängigkeitserklärung waren, strebten in den verregneten Himmel. Vielleicht hatte ich den Lärm von Ohio erwartet, die Absperrungen und das Chaos der Wahlkampagne, stattdessen schauten wir durch die verschmutzte Windschutzscheibe auf glatte schwarze Straßen, und ich dachte unwillkürlich, dass irgendetwas *anders* war.

»Bist du sicher, dass wir hier richtig sind?«, fragte ich. Liz beugte sich zwischen unseren beiden Sitzen nach vorn, aber bevor sie *zu* beleidigt reagieren konnte, erblickten wir ein großes Gebäude, das sich über zwei Häuserblocks erstreckte. Massive Säulen ragten am Eingang in die Höhe, sodass es eher einem römischen Tempel als einem Bahnhof glich. Und in der Mitte der Fassade hing ein etwa zwanzig Meter langes Spruchband, auf dem WINTERS-McHENRY: WIR BRINGEN AMERIKA WIEDER AUF DEN RECHTEN WEG stand.

Der Regen wurde stärker. Pfützen bildeten sich auf den Gehwegen. Und neben mir erklärte Bex: »Wir sind da.«

Kapitel Siebzehn

Jede Mission ist eine Lektion – in der Schule und im Leben. Und noch bevor wir den Eingang des Bahnhofs in der 30. Straße erreicht hatten, lernte ich zwei sehr wichtige Dinge:

1. Wenn du dich auf dem Rücksitz eines Dodge-Minivans mit zwei anderen Mädchen umziehen musst, verdienst du dir auf jeden Fall ein paar Extrapunkte in *S+V*.

2. Du solltest niemals andere Agenten für dich packen lassen, nicht einmal deine besten Freundinnen.

»Ich kann nicht glauben, dass ich so was trage«, murmelte ich und zerrte am Saum des kleinen Schwarzen, das Bex persönlich aus dem zweiten Untergeschoss geschmuggelt hatte. Aber es fühlte sich nicht wie ein Kleid an. Es fühlte sich eher wie Folter an. Folter mit einem *sehr tiefen* Rückenausschnitt und *sehr hohen* Schuhen.

Stretchlimousinen reihten sich draußen vor der Haupttreppe. Geheimagenten standen an jedem möglichen Ausgang. Trotzdem sagte Bex leise: »Der Schlüssel zum Erfolg bei Verstellung und Tarnung ist der, dass man Trends und Normen missachtet.«

Da wusste ich, dass es manchmal ein Nachteil ist, Genies als Freunde zu haben, die Lehrbücher richtig gut auswendig lernen, denn Bex hatte recht: *Nichts* an diesem Kleid entsprach irgendeiner Norm.

Ich musste ihr trotzdem widersprechen. »Dann solltest *du* es tragen!« Aber Bex hob nur die Schultern.

»Würde ich gern«, sagte sie. »Das ist ja das Problem.«

Die Sache ist nämlich die: Beim Verkleiden geht es nicht darum, nicht gesehen zu werden. Es geht nicht darum, nicht bemerkt zu werden. Es geht darum, nicht erkannt zu werden – deine eigene Haut abzustreifen. In diesem Moment machte ich mir keine Gedanken mehr über den Geheimdienst oder fünfhundert einflussreiche Parteispender. In diesem Moment war Tante Abby unsere einzige Sorge: Sie zu täuschen, bedeutete, die eigene Identität im Auto zu lassen.

Ich guckte Liz an, deren lange blonde Haare sich unter einer dunkelbraunen Perücke versteckten. Bex trug auch eine Perücke, außerdem eine Brille und einen ausgepolsterten Body, der die natürliche Silhouette ihrer sportlichen Figur veränderte. Wir hatten jeden Trick des begehbaren Kleiderschranks der Gallagher Akademie benutzt, und als wir an den verdunkelten Fenstern des Bahnhofs vorbeigingen, sah ich drei Fremde, bevor mir klar wurde, dass *wir* das waren. Ich erkannte mich mit der Perücke, den andersfarbigen Kontaktlinsen und der künstlichen Nase selbst nicht – die Dinge machten aus meinem unauffälligen Gesicht das Gegenteil.

»Okay, Leute«, sagte ich. »Laut Blaupause gibt es auf der Ostseite des Gebäudes eine Rampe zum Aufzug. Wir machen uns vielleicht ein bisschen schmutzig, aber –«

»Warum nicht einfach durch die Tür?«, meinte Liz und zückte drei Einladungen und ein paar bestens gefälschte Ausweise.

Die Eintrittskarten kosteten zwanzigtausend Dollar pro Stück. Der Geheimdienst hatte die Gästeliste seit Wochen gecheckt. Also blieben Bex und ich unter einer Straßenlampe stehen und musterten Liz.

»Will ich wirklich wissen, wo du die herhast?«, fragte ich.

Liz schien zu überlegen. Dann antwortete sie: »Nein.«

Und plötzlich schoss mir der Gedanke durch den Kopf, dass Liz wahrscheinlich die Gefährlichste von uns allen war.

Wir gingen in den Bahnhof, und es war, als ob wir eine andere Welt betraten. Die Halle war mindestens fünfzehn Meter hoch und hatte eine herrliche Stuckdecke. Auf einem Balkon spielte ein Streichquartett, und die Musik hallte von den Fliesen des Fußbodens wider, während fünfhundert Männer und Frauen aßen und tranken und vom Weg zum Weißen Haus sprachen.

Ich wollte mir nicht vorstellen, welche Gefälligkeiten zugestanden werden mussten, um zu erreichen, dass der Bahnhof den ganzen Abend lang geschlossen blieb (vielleicht hatte man sogar ein neues Gesetz eingeführt), also stand ich nur mit meinen Freundinnen und einer großen Statue des Engels Michael, der einen gefallenen Soldaten in den Armen hielt und die Flügel wie kurz vorm Abflug ausbreitete, oberhalb der Treppe. Es war, als ob wir zu viert nach Macey Ausschau hielten.

»Irgendein Zeichen?«, fragte ich zwanzig Minuten später, während ich durch die Menge schlenderte.

»Negativ«, antwortete Bex.

»Wow, habt ihr gewusst, dass es die Bahn von Pennsylvania schon im Jahr –«

»Liz!«, blafften Bex und ich gleichzeitig.

»Das heißt Bücherwurm«, verbesserte sie uns, und ich konnte ihr nicht widersprechen.

»Bücherwurm, was stand noch mal auf dem Programm?«, wollte ich wissen.

»Es hieß, Macey wird heute einmal öffentlich auftreten. Sie kommt um halb acht mit dem *Zurück-auf-dem-rechten-Weg-Express* an – was immer das heißen soll.«

»Wie viel Uhr ist es jetzt?«

»Du weißt, wie spät es ist«, erinnerte mich Bex, aber ich hoffte, dass ich mich irrte, denn die Kandidaten und ihre Familien waren noch nicht eingetroffen.

Verspätung bedeutete Fehler.

Fehler bedeuteten Probleme.

Und Probleme ... also, ich wollte nicht wirklich darüber nachdenken, was sie bedeuteten.

Mr Solomons Warnung kam mir wieder in den Kopf, als ich die Leute beobachtete und mich daran erinnerte, dass alle die Bösen sein konnten, dass sie überall sein konnten – dass sie wussten, wer wir waren. Und sie brauchten nur Glück zu haben – nur ein einziges Mal.

Vielleicht war es mein Spionage-Training, vielleicht war es meine verrückte, übereifrige Fantasie, aber mir kamen alle Leute, wohin ich auch blickte, verdächtig vor.

Ein Mann mit einer roten Fliege rempelte mich nicht nur einmal, nicht zweimal, sondern dreimal an und konnte anscheinend die Finger nicht von mir lassen. Mein erster Instinkt war der, mich bei Macey per Kommunikationsgerät zu erkundigen, ob er mit mir flirtete, aber dann fiel mir ein, dass das einzige Gallagher Girl, das diese Frage beantworten konnte, das einzige Gallagher Girl war, das ich *nicht* fragen konnte.

»Chamäleon«, tönte Bex' Stimme in meinem Ohr. »Cammie, bist du –«

»Ich bin hier«, sagte ich.

»Was ist los?«, wollte sie mit starkem britischen Akzent wissen.

»Nichts. Das heißt –« Ich drehte mich um die eigene Achse und stand so frei, wie es nur ging, aber irgendwas stimmte tatsächlich nicht.

»Augen«, sagte ich und bezog mich auf das letzte Hilfsmittel einer Agentin – ihren Instinkt. »Ich spüre Augen. Jemand … beobachtet mich.«

»Ja, klar«, erwiderte Bex, »du siehst sexy aus.«

Okay, das erklärte einiges. *Versteckt sein* kann ich nämlich gut. *Unsichtbar* sein auch. *Sexy* liegt mir dagegen gar nicht.

Ich schob mich wieder durch die Menge. Es wurde immer später, und ich machte mir noch größere Sorgen. Erinnerungen an Boston rasten durch meinen Kopf. Ich schloss die Augen und fröstelte. Ich sah eine fast identische Menschenversammlung vor mir und hatte ein fast identisches Gefühl.

»Bücherwurm, Duchess«, fing ich an und verstummte, weil ich nicht die leiseste Ahnung hatte, wie dieser Satz enden sollte. »Irgendein Zeichen von ihnen?«, fragte ich stattdessen.

»Keine Busse«, verkündete Liz von ihrem Aussichtspunkt am Fenster.

»Kein Zeichen am Ost-Eingang«, sagte Bex. Dann: »Warte!«

Die Menge veränderte sich. Durch das alte historische Gebäude strömte plötzlich eine fühlbare Energie, und ich schaute aus den riesigen Fenstern in den wolkenverhangenen Himmel und wartete auf einen Blitz.

»Ach, du meine Güte!«, rief Liz aus und klang genauso überrascht wie Bex.

»Was ist?«, fragte ich laut, und es war mir egal, ob mich jemand hörte. Ich wirbelte herum und blickte in Richtung Haupteingang. Dann spürte ich, dass sich die Menge hinter mir rührte. Ich drehte mich langsam wieder um. Da war kein Bus, keine Fahrzeugkolonne.

Stattdessen fuhr ein langer uralter Zug mit altmodischen roten, weißen und blauen Fähnchen langsam ein.

Im nächsten Moment war es egal, wie toll unsere Headsets waren, weil die Schreie, die aus den Mündern von fünfhundert tollwütigen Wählern kamen, die Stimmen meiner besten Freundinnen in meinem Ohr übertönten.

Der Gouverneur Winters und Maceys Vater betraten die Bühne hinter dem Dienstwagen, anschließend taten ihre Frauen das Gleiche. Macey und Preston folgten.

Ich wartete darauf, dass die Angst in meinem Bauch verschwand. Ich sagte mir, dass ich verrückt war. Macey lächelte doch. Sie winkte. Sie war die perfekte Agentin mit der perfekten Tarnung. Tante Abby stand neben ihr. Es ging ihr gut.

Eine unglaubliche Welle der Erleichterung schwappte über mich. Doch dann bewegte sich die Menge, und für den Bruchteil einer Sekunde fiel mein Blick auf einen Mann.

Einen Mann mit wilder weißer Mähne und buschigen Augenbrauen.

Einen Mann, den ich schon einmal gesehen hatte.

In Boston.

Kapitel Achtzehn

Es musste nichts zu bedeuten haben. Bestimmt nicht. Schließlich gab es eine Menge Leute, die zu politischen Kongressen *und* politischen Kundgebungen gingen. Und der Geheimdienst war da – der Geheimdienst war *gut*.

Trotzdem wusste ich nicht, was beängstigender war – dass ich einen Mann in der Menge entdeckt hatte, mit dem ich am selben Tag zusammengestoßen war, an dem meine Mitbewohnerin attackiert wurde, oder dass das bekannte Gesicht genauso schnell wieder verschwand.

»Duchess!«, brüllte ich fast. Die Menge war einfach zu laut, das Rennen um den Wahlsieg zu knapp, und die Menschen, die wollten, dass das Winters-McHenry-Gespann gewann, zu aufgedreht, als ich über mein Headset nach meinen Freundinnen rief. »Duchess, da war ein Typ … in einem Anzug …« Ich stieg die Treppe hinauf, um den Bahnsteig besser überblicken zu können. Da merkte ich, dass ich gerade die Hälfte der Beifall klatschenden Personen beschrieben hatte. »Dunkler Anzug«, fügte ich hinzu. »Wilde weiße Mähne. Buschige Augenbrauen. Schnurrbart«, leierte ich die Erkennungsmerkmale so schnell wie möglich herunter.

Die Agentin stellte fest, dass unglaublich hohe Absätze es äußerst schwierig machen, Menschen auf spiegelglatten Fußböden zu verfolgen!

Die Band spielte. Die Leute tranken. Und dort, wo der Zug am Ende des Bahnsteigs stand, sah ich das Gesicht wieder. Irgendetwas an der Art, wie der Typ sich bewegte, kam mir bekannt vor und ich hatte plötzlich die Hotel-Lobby in Boston vor Augen, während die Delegation aus Texas sang.

Dann schaute ich auf den Zug und sah Tante Abby auf Abruf bereitstehen – drei Meter von Macey entfernt und genau da, wo sie sein sollte. Und der weißhaarige Mann kam näher.

Ich wusste nicht, wie ich ihn beschreiben sollte, und das war vielleicht sogar das Seltsamste an der ganzen Sache. Er drängte sich an der Menschenmasse vorbei, als ob er ein Ziel hätte. Vielleicht klingt es verrückt, aber ich konnte mir einfach nicht vorstellen, dass jemand zwanzigtausend Dollar bezahlt, um dann mitten in der Veranstaltung zu verschwinden.

Ich bahnte mir, so schnell wie ich mich traute, ohne (A) hinzufallen und (B) Aufmerksamkeit zu erregen, einen Weg durch die Menge. Beides gelang mir ziemlich gut, bis ein Kellner die Kontrolle über sein Tablett mit Champagner verlor. Während die Gläser fielen, trat ich zur Seite und drehte mich schnell um.

Und stieß mit Preston Winters zusammen.

»Oh, tut mir leid«, rief er aus und packte mich an den Schultern, als ob ich gerade im Begriff wäre, zu stürzen. (Was nicht der Fall war, aber er brauchte nicht zu wissen, dass im Fach *Schutz und Vollstreckung* mehrere Stunden dem Gleichgewicht gewidmet werden, das eine Agentin halten können *muss.*) »Sind Sie okay? Kann ich Ihnen irgendwas bringen? Punsch vielleicht?«

»Mir geht's gut. Danke trotzdem«, sagte ich und ging im Kopf eine Liste mit allem durch, was in diesem Augenblick schieflief, wobei ich das größte Problem vergaß.

»Sind wir uns schon einmal begegnet?«, fragte Preston und musterte mich auf eine Art, die mir klarmachte, dass ich trotz der langen schwarzen Perücke und des engen schwarzen Kleides etwas viel zu Vertrautes an mir hatte.

»Nein, glaub ich nicht«, quäkte ich mit meinem besten Südstaaten-Akzent. Ich versuchte, mich loszueisen. Der Mann schlenderte am Zug entlang und ging in den Felsentunnel hinein, aus dem der Zug gekommen war, und ich stand da und überlegte, was ich tun könnte.

Die Agentin bedauerte, die neuen Napotin-Pflaster von Dr. Fibs nicht eingepackt zu haben. Sie bedauerte außerdem, keine normalen Pflaster eingepackt zu haben, weil ihre Füße in den ungewohnten Schuhen echt wehtaten.

Prestons Vater stand auf der provisorischen Bühne hinter dem Dienstwagen des altmodischen Zuges – eine Huldigung an bessere Zeiten – und erklärte der Menge: »Wir bringen Amerika *wieder auf den rechten Weg!*« Die Leute jubelten, aber ich war viel zu beschäftigt, um auf zwei Stimmen zu hören. Die eine gehörte dem Jungen, der vor mir war und sagte: »Ich weiß, dass Sie bei der Wahlveranstaltung in Atlanta waren, stimmt doch, oder?« Die andere tönte in meinem Ohr, als Bex kreischte: »Ihr werdet *nie* glauben, wer da ist! Ich schaue auf –«

Danach hatte ich nur noch Rauschen. Mein erster Gedanke war, mit der Hand an den Stöpsel zu fassen und wie eine totale Anfängerin zu schreien, aber ich ließ es sein.

»Jetzt bin ich mir *ganz* sicher, dass wir uns schon einmal begegnet sind«, fuhr Preston fort, ohne zu merken, dass ich fast durchdrehte. »Kommen Sie schon! Helfen Sie mir!«

Ich hätte lügen können. Ich hätte kämpfen können. Aber eine verzweifelte Lage erfordert eine verzweifelte Tat – also griff ich als letzten Ausweg zur Waffe eines Gallagher Girls: Ich flirtete.

»Tut mir leid«, sagte ich und klimperte mit den falschen Wimpern. »Ich stottere immer ein bisschen herum, wenn ich vor einem so gut aussehenden Mann stehe.«

»Ähm …« Preston schluckte. »Gut aussehend?« Ich spürte sofort, dass ich den Spieß umgedreht hatte.

»Ja«, betonte ich und griff nach seinem Bizeps. »Ehrlich – du bist sogar noch stärker als du im Fernsehen aussiehst!«

Er schluckte wieder und brachte mit Mühe heraus: »Ich hebe … Sachen, weißt du?«

»Oh, das merkt man.« In meinem Ohr ging Bex' Stimme im Rauschen unter, aber meine Mission war in diesem Moment, mich von Preston Winters zu trennen, ohne ihn merken zu lassen, dass das Mädchen im schwarzen Kleid auch das Mädchen auf dem Dach war. »Weißt du, der Anzug, den du anhast, gefällt mir am allerbesten an dir. Mir gefällt natürlich auch der dunkelblaue Nadelstreifenanzug, aber den hast du in Boston getragen, stimmt's? Jetzt ist *der da* mein Lieblingsanzug …« Ich wollte schon weiterquasseln – welche Krawatte am besten zu seinen Augen passt –, doch bevor ich ein Wort herausbrachte, zeigte Preston auf seine Eltern am anderen Ende der Halle.

»Wartet! Oh, ich glaube, sie brauchen mich für … irgendwas.«

»Aber –«, sagte ich, als er sich in Bewegung setzte.

»Danke für deine Stimme!«, rief er zurück.

Aber ich war schon weg.

»Duchess!«, versuchte ich es wieder, während ich mich dem Tunnel näherte. »Duchess!«, probierte ich es noch einmal mit einem Blick zurück auf die Veranstaltung, auf Macey und Tante Abby. Ich wusste, dass es zwei Möglichkeiten gab. Die eine: Ich könnte meiner Tante winken, was Verstärkung und die Gefahr mit sich brächte, dass sie meine Mutter informieren würde. Und die zweite: Ich könnte einer Zielperson bei einem Entführungsversuch in einen dunklen Tunnel folgen, ohne Rückendeckung und ohne Hilfe.

Ich entschied mich für die zweite Variante, weil sie mir am wenigsten Angst machte.

Als ich den düsteren Tunnel betrat, verstummte der Lärm der Menschen hinter mir, während es in meinem Ohrstöpsel knatterte und knisterte.

Ich ging den dunklen Tunnel entlang; meine (total unbequemen) Schuhe waren auf dem kalten Beton mucksmäuschenstill. Das war allerdings, bevor sich eine Hand auf meinen Mund presste, ein Arm sich fest um meine Taille schlang und mich jemand aus meinen Schuhen zog.

»Hey, Chamäleon, wie läuft's?«, brüllte Bex' Stimme in mein Ohr.

Mein erster Gedanke war, gegen die Arme, die mich festhielten, anzukämpfen. Der zweite war: Hey, wieso kann Bex mir ins Ohr schreien, wenn der Apparat kaputt ist?

Aber dann ließen mich die Arme los, und ich fuhr blitzschnell herum und stand meiner besten Freundin gegenüber. »Was machst du hier?«, fragte ich.

Sie lächelte. »Rate mal, wer sonst noch aus Roseville angereist ist!« Ihre Augen funkelten.

»Bex, heute ist Samstag. Ich habe echt keine Lust auf ein Quiz!«

Dann packte sie mich an den Schultern und drehte mich wieder in die andere Richtung. *»Schau!«*

Als ich Mr Solomon zum ersten Mal gesehen hatte, war er während des Willkommens-Dinners des zweiten Jahrgangs in die große Halle geschlendert. Keiner von uns hatte gewusst, woher er gekommen war oder warum er da war. Hier im Dunkeln war es nicht schwer, sich zu erinnern, wie sich das angefühlt hatte.

»Sieht er nicht scharf aus in seinem Smoking?«, fragte Bex, und ich flippte fast aus, weil sich das von selbst verstand und es wahrlich andere Dinge gab, über die wir uns Sorgen machen mussten. Total wichtige andere Dinge. Weil genau in diesem Moment Mr Solomon nicht mehr allein war.

»Oooh, und er hat auch einen Freund mit Smoking«, neckte mich Bex. Aber ich wusste Bescheid – den Mann mit seiner wilden weißen Haarmähne und den buschigen Augenbrauen kannte ich bereits. Ich hatte ihn gesehen. In Boston.

Die beiden Männer redeten kurz miteinander. Dann machte Mr Solomon kehrt und entfernte sich, wobei er sein Tempo veränderte, um mögliche Schritte eines Verfolgers im dunklen Tunnel hören zu können – Gegenobservation wie aus dem Bilderbuch. Bex zwinkerte mir zu. Kurz darauf folgte sie unserem Lehrer mit einigen Metern Abstand. Aber ich starrte nur auf den Typ hinter Mr Solomon.

Jemand, den er kannte.

Jemand, den er zu respektieren schien.

Jemand, der ein Talent dafür hatte, immer dort zu sein, wo Macey und ich zufällig waren.

Vielleicht war es eine bestimmte Ausstrahlung, die Bex bemerkt hatte und mir entgangen war. Vielleicht war es die Art, wie sich der Mann mit den weißen Haaren im Tunnel aufgerichtet und so geschmeidig bewegt hatte und wie es zum Rest seines Körpers nicht passte. Aber aus irgendeinem Grund musste ich an Mr Solomon denken, der uns erklärt hatte, dass die Kunst der Täuschung und Verstellung nicht kompliziert, sondern einfach ist: Gib den Augen etwas Neues zu sehen, sodass der Verstand nicht wirklich *sieht*.

In Gedanken startete ich in Boston und flog wieder ins Hier und Jetzt. Das Déjà-vu-Erlebnis verstärkte sich immer mehr, die Puzzle-Teilchen fügten sich zusammen. Ich schloss die Augen und sah einen Mund und keinen Schnurrbart, Augen und keine buschigen Brauen. Ich streifte die Tarnung Stück für Stück ab, bis ich in der Finsternis dastand und ihn endlich erkannte.

»Zach.«

Ich muss zugeben, dass ich in diesem Moment ziemlich gemischte Gefühle hatte. Ich hatte Zach gesehen! Okay, er hatte sich verkleidet. Aber alle Jungs (und erst recht die Blackthorne Boys) sind Experten in der Kunst der Täuschung und Verstellung!

Das änderte aber nichts an der Tatsache, dass ich glaubte, ihn ein Dutzend Mal wahrgenommen zu haben, bevor ich ihm in Ohio tatsächlich gegenüberstand. In diesem Augenblick wusste ich es besser. Ich atmete tief ein und aus. Mir war klar geworden, dass ich in Boston nicht an Zach gedacht hatte. Mein Verstand hatte mir keinen Streich gespielt. Ich war nicht total auf Jungs – oder sonst was – abgefahren.

Andererseits hatte er mich beschattet, und als Spionin war ich mir nicht sicher, was schlimmer war.

Der Geheimdienst hielt vor dem Zug Wache, aber ein mit Tabletts voller Essen und Getränkekisten beladener Wagen wartete darauf, an Bord des Zuges gehievt zu werden. Zach ging langsam darauf zu und war blitzschnell verschwunden.

Ich zwinkerte und hatte überhaupt keine Zweifel, wohin er gegangen war. Ich fragte mich nur ... warum?

Bex näherte sich inzwischen dem Ende des Tunnels, lief aber immer noch ein Stück entfernt von Mr Solomon. Sobald sie den Tunnel verlassen würde und über ihren Ohrstöpsel wieder Nachrichten empfangen könnte, würde sie Liz mitteilen, dass sie unseren Lehrer im Blick hätte. In der Ferne spielte dasselbe Streichquartett dieselbe Melodie, die wir schon in Ohio nach denselben Reden gehört hatten. Dampf zischte aus dem Zug neben mir. Ich hörte das blecherne Stöhnen einer Maschine, die sich nicht mehr lange aufhalten ließ.

Und ich tat das Einzige, was ich tun konnte.

Ich stieg ein.

Kapitel Neunzehn

Ich lernte viel an diesem Tag. Zum Beispiel, dass man es Bex nicht erlauben darf, auf einem Ausflug Snacks zu besorgen. Dass man immer ein extra Paar Schuhe dabeihaben sollte. Und eine halbe Stunde später musste ich der Liste noch etwas hinzufügen, nämlich:

Dass man sich niemals freiwillig melden sollte, um jemanden in einem fahrenden Zug zu beschatten.

Vor allem, wenn sich in dem Zug noch eine Tante, eine beste Freundin (die nichts von der eigenen Anwesenheit weiß) und siebenunddreißig Mitglieder des Geheimdienstes der Vereinigten Staaten befinden!

Der Zug bestand aus siebzehn Wagen mit schmalen Gängen und bewaffneten Sicherheitskräften, engen Abteilen und Leuten, die von den Wahlergebnissen und vom Koffein high waren. Also zog ich den Kopf ein, quetschte mich durch die Menge und dachte an die einfache Regel, die gilt, falls man irgendwo ist, wo man nicht sein soll: Sei jemand anderes!

Ich schnappte mir ein Klemmbrett, das herumlag, und ging

zielstrebig den vollgestopften Korridor entlang. Die Maschinen zischten. In den Abteilen wurde lebhaft diskutiert. Und ich bewegte mich, lächelte und tat so, als ob ich begeistert wäre, ein Teil der Geschichte zu sein.

Zach hätte überall sein können, und nach seinen bisher gezeigten Fähigkeiten im Verstellen und Tarnen zu urteilen, hätte er *irgendwer* sein können. Also bahnte ich mir schwankend meinen Weg durch den fahrenden Zug, bis einer der Praktikanten »Hey, wo gehst du hin?« rief.

»Neue Rede für den Pfau«, erklärte ich, hielt das Klemmbrett hoch und verdrehte die Augen.

»Oooh«, machte einer der Typen und verzog mitfühlend das Gesicht. »Abteil vierzehn«, sagte er und zeigte auf den nächsten Wagen. »Viel Spaß!«, spöttelte er, was bedeutete, dass Maceys Tarnung immer noch tipptopp war. Dann öffnete ich die Verbindungstür.

Ich schlängelte mich an den Menschen im Gang vorbei und hatte keine Ahnung, was ich vorfinden würde. Im selben Augenblick wurde mir klar, dass ich wahrscheinlich den größten Fehler meines Lebens begangen hatte. Hinter mir hörte ich jemanden deutlich sagen: »Der Pfau bewegt sich!«

Ich war nicht in der Schule. Und verstellte mich. Ich trug ein sehr kleines Schwarzes, während meine liebste (und einzige) Tante sich mir näherte!

Auf der linken Seite war eine Tür. Nummer vierzehn. Ich hielt mein Ohr daran, vernahm aber nichts. Dann drückte ich die Klinke nach unten. Verschlossen. Natürlich.

»Ja«, hörte ich die Stimme von Tante Abby, jetzt noch deutlicher.

Verzweifelt klopfte ich noch einmal. »Miss McHenry, sind

Sie da drin? Darf ich kurz mit Ihnen reden?« Ich klammerte mich an meine Tarnidentität.

»Auf jeden Fall«, sagte Tante Abby hinter mir. »Ein Umkreis von 130 Metern sollte mehr als genügen.«

Jetzt war ich *wirklich* verzweifelt, zog eine Haarnadel aus meinem Schopf und versuchte, das Schloss zu öffnen.

Ich spürte, dass sich genau in dem Moment, in dem Tante Abby sich aus der Menschenmenge löste, der Riegel bewegte. In der nächsten Sekunde stand ich im Dunkeln.

Jemand grabschte nach mir, aber ich duckte mich.

Eine Hand packte mich an den Haaren – oder was sie für meine Haare hielt – und zog mir die Perücke vom Kopf. Die Stimme von Tante Abby war jetzt noch lauter, direkt vor der Tür, und in dem kleinen Abteil wurde es mucksmäuschenstill.

Durch die schmale Ritze unter der Tür gelangten schwache Lichtstrahlen, sodass ich Zach erkannte, der die Perücke anschaute, dann mich und wieder die Perücke.

»Du hast hier nichts zu suchen, Gallagher Girl!« Es war nicht witzig gemeint. Er lächelte nicht und flirtete auch nicht mit mir. Er war …

Wütend.

So wütend, wie ich ihn noch nie gesehen hatte. Niemals hätte ich gedacht, dass er *so* wütend sein konnte. Es war mir schon immer bewusst, dass Zach stark war (ein Mädchen kämpft schließlich nicht ein ganzes Semester lang mit einem Typ in der S+V-Stunde, ohne das herauszufinden), aber in diesem Moment war er ein Fels.

Zuerst erschrak ich. Dann packte mich der Zorn.

»Du sagst *mir*, dass *ich* hier nichts zu suchen habe?«, schrie ich. Ja, klar, meine Tante und der halbe amerikanische Geheimdienst standen in diesem Moment wahrscheinlich vor der Tür, aber ich konnte mich nicht beherrschen.

»Es ist gefährlich«, erwiderte er.

»Falls du es noch nicht weißt – ich kann auf mich selber aufpassen!«

Leider schlingerte der Zug in dieser Sekunde, und trotz des besten Selbstverteidigungs-Trainings auf der Welt stolperte ich und fiel in Zachs ausgestreckte Arme.

Ich wollte mich losreißen, aber er hielt mich fest.

»Pscht!«, machte er, als die Stimmen im Gang für einen Augenblick leiser wurden.

Und dann geschah das Erschreckendste von allem: Zach sah aus, als ob er mich küssen wollte …

Was er aber nicht tat.

Er war derselbe Junge, der mich während der Abschlussprüfungen vor der ganzen Schule wie im Film nach hinten gebogen hatte, und jetzt – in der Dunkelheit eines fahrenden Zuges, eng beisammen, von kräftigen Adrenalinstößen aufgeputscht – passierte nichts.

»Nette Verkleidung«, zog er mich auf und lächelte endlich.

»Deine auch«, entgegnete ich und ließ mir diesen Moment durch den Kopf gehen: Was er bedeutete, wie lange er andauern sollte und wozu ich bereit wäre, um die Wahrheit herauszufinden. Deshalb fügte ich hinzu: »In Boston war sie sogar noch besser.«

Es gibt Augenblicke im Leben eines Spions, in denen die Zeit rast, und manchmal gibt es Sekunden, die wie ein ganzes Leben wirken. Jetzt war einer dieser Momente gekommen, der Jahre zu dauern schien. In dem schmalen Raum, immer noch von Zachs Armen umklammert und mit den Stimmen vor der Tür, beobachtete ich, wie sich seine Miene veränderte – erst war es Verwirrung, dann Schock und schließlich der Ausdruck eines Menschen, der verzweifelt nach einem Plan sucht.

»Ja, ich –«

Jemand klopfte. Meine Augen wurden groß, als sie in seine starrten.

»Da!« Zach deutete auf die herunterklappbaren Betten, die ich bisher nur in alten Filmen gesehen hatte.

Wieder klopfte es.

Draußen brüllte jemand: »Wer hat einen Schlüssel?«

Aber bis die Tür aufflog, waren Zach und ich verschwunden.

(Notiz an mich: Keine Spionin werden, wenn du auch nur ein winziges bisschen unter Platzangst leidest.)

»Was ist los, Zach?«, wisperte ich im Dunkel des schmalen Betts, das wir zusammengeklappt hatten. Mit uns dazwischen.

Zach hatte den Arm um meine Taille geschlungen. Sein Atem war warm in meinem Nacken. Ich konnte hören, wie Tante Abby im Abteil sagte: »Macey, ich will nicht mehr darüber diskutieren. Warte einfach hier!« Aber es war mir ziemlich egal.

»Du warst in Boston, Zach.«

»Psst!«, zischte er und zog mich mit einem Ruck näher an sich heran.

Außerhalb unserer Koje waren jetzt wieder Laute zu vernehmen. Macey hätte ich überall erkannt. Die andere Stimme kam mir auch irgendwie vertraut vor, doch ich konnte nicht …

»Weißt du«, sagte die tiefere der beiden Stimmen, »jemand hat behauptet, das sei mein bester Anzug.«

Preston!

Ich hörte noch mehr Gequatsche und Musik, aber das alles schien eine Million Meilen weit weg zu sein, als ich so dalag und meine Gedanken schneller rasten als der Zug.

»*Deshalb* wusstest du also über die Wäscherutsche Bescheid!«, zischte ich, während sich ein neues Teilchen in das Puzzle einfügte. »Warum warst du dort, Zach?«, fragte ich flüsternd und schon fast hilflos.

»Nicht jetzt.« Seine Stimme war sanft, aber streng.

»Und sag mir nicht: Weil wir in Gefahr waren! Denn damals waren wir *nicht* in Gefahr.«

»Hast du keine Lust auf ein Nickerchen?«, wisperte er.

»Ja, und wenn wir schon beim Thema sind – wieso bist du *hier?*«

»Ich könnte dich das Gleiche fragen, Gallagher Girl, aber wir sollten jetzt endlich mal die Klappe halten.«

Was eine sehr gute Idee war, denn die Stimmen im Abteil verstummten plötzlich. Macey und Preston unterhielten sich nicht mehr, aber die Spionin (und erst recht das Mädchen) in mir wusste, dass sie noch da waren. Ich hörte nämlich Geräusche. Geräusche, die ich kannte. Geräusche, über die ich nicht wirklich nachdenken wollte. Weil es wie Küssen klang.

Und weil ich gerade mit einem Jungen zusammengepfercht dalag, den ich schon mal geküsst hatte!

Und weil ich in diesem Moment an alles, nur nicht ans Küssen denken sollte!

»Worüber habt ihr – du und Mr Solomon – eigentlich gesprochen?«, war ich neugierig, weil ich unbedingt über irgendwas reden musste.

Aber Zach schien gegen die Kussgeräusche oder Gedanken ans Küssen immun zu sein. »Du kapierst es einfach nicht, oder?«, schnauzte er mich an. Er drehte mich irgendwie so, dass unsere Gesichter nur noch Zentimeter voneinander entfernt waren. »Es ist gefährlich, Cammie.« Er sagte Cammie, nicht Gallagher Girl. »Es ist –«

»Ja, das hab ich mir damals auch gedacht, als ich mit einer Gehirnerschütterung aufgewacht bin.«

»Nimm das nicht auf die leichte Schulter!«

»Wie passt eine Gehirnerschütterung mit einer leichten Schulter zusammen?«

»Du solltest nicht hier sein«, sagte er langsam, als ob ich schwer von Begriff wäre.

»*Du* bist hier!«, entgegnete ich bissig.

»Hör zu, das ist nichts für …«

»Ein Mädchen?«

Im Zug wimmelte es von bewaffnetem Sicherheitspersonal … meine Mitbewohnerin und der möglicherweise zukünftige *First Son* der Vereinigten Staaten knutschten keinen Meter von mir … Die Welt, wie ich sie kannte, wäre vielleicht vorbei, wenn Zach und ich erwischt würden …

Aber. Es. War. Mir. Egal.

»Eine Schülerin?«, versuchte ich es wieder. »Was, Zach? Erklär mir, was du bist – was ist anders an dir als an mir?«

Und dann hatten sich meine Augen wohl an die Dunkelheit gewöhnt, denn ich konnte ihn richtig sehen. Der frechste Typ, den ich je erlebt hatte, schaute mich an und antwortete leise: »Ich bin jemand, der nichts mehr zu verlieren hat.«

Alles andere verschwand in diesem Moment – das Geräusch draußen, das Schaukeln des Wagens, der Druck und die Müdigkeit. Ich weiß nicht, was als Nächstes passiert wäre. Vielleicht hätte ich geweint. Vielleicht hätte ich nachgegeben. Oder vielleicht hätte ich mehr Antworten auf die Fragen verlangt, die ich kaum zu stellen wagte.

Das werden wir aber nie wissen.

Weil die Welt in dem Augenblick, in dem Zach mein Gesicht berührte, zusammenbrach. Die Schwerkraft war stärker. In der einen Sekunde befand ich mich in den Armen des kompliziertesten (und tollsten) Spions aller Zeiten und in der nächsten landete ich wie eine Tonne Ziegelsteine auf dem harten kalten Boden eines fahrenden Zuges, während eine meiner besten Freundinnen auf mich und den Jungen über mir herunterstarrte. Und sagte: »Also, *das* stand nicht in meinem Programm.«

Wenigstens war Preston verschwunden – zumindest dachte ich, dass er weg war. Ich konnte nicht allzu sicher sein, weil ich ein bisschen Zeit brauchte, um mich zurechtzufinden.

»Miss McHenry!«, brüllte eine männliche Stimme vor der Tür. »Geheimdienst! Ist alles okay?«

Ich schaute in Maceys Gesicht. Zach hatte sich, alle viere von sich gestreckt, auf mir ausgebreitet. Eines seiner Beine verhedderte sich in Maceys Rucksack. Ein Tablett mit Essen war mit uns in die Tiefe gestürzt und alles lag auf dem Boden verstreut.

Macey sah uns mit höchst verwunderter Miene an. Sie schien zu wissen, dass sie mit einem einzigen Wort die Tür – und unsere ganze Welt – auffliegen lassen konnte. Sie lächelte und genoss den Augenblick, bevor sie rief: »Alles ist in Ordnung! Ich hab nur ein Tablett runtergeschmissen!«

»Sollen wir einen Schaffner schicken, um –«

»Nein!«, schrie Macey. »Ich will allein sein – ist das so schwer zu begreifen?«

Ich hörte Schritte, die sich entfernten.

Macey ließ sich auf der Bank gegenüber nieder, während Zach und ich versuchten, auf die Füße zu kommen.

»Hi, Zach«, sagte Macey. Sie hatte die Beine übereinandergeschlagen und wippte mit dem Fuß.

»Hey, Macey«, grüßte er zurück, als würde er jeden Tag von der Decke in die Privatgemächer des am besten geschützten Mädchens fallen. »Tut mir leid, einfach so hereinzuschneien«, sagte er mit einem Blick, dem abzulesen war, dass er sich für unheimlich schlau hielt, »aber Cammie wollte unbedingt mit mir allein sein. Du kennst sie doch.«

Ich haute ihn auf den Arm.

Er wich zurück. »Irgendwann wirst du mich richtig verletzen, und das wird dir dann wahnsinnig leidtun.«

»Ja, klar«, sagte ich. »Wenn du wenigstens mal ehrlich zu mir wärst –«

»Also, nur damit ihr's wisst«, unterbrach mich Macey und lehnte sich nach hinten. Ihr schien das Ganze Spaß zu machen. »Abby wird in ungefähr zwei Minuten wieder da sein. Vielleicht beeilt ihr Turteltauben euch ein bisschen.«

Ich hatte erwartet, dass der Junge, der vor mir stand, bei dem Wort »Turteltauben« zusammenzucken würde. Er zuckte aber nicht, sondern griff nach seinem Rucksack und sagte zu Macey: »Danke.« Dann schaute er aus dem Fenster in die Finsternis und meinte: »Hier ist sowieso meine Haltestelle.«

Soweit ich es erkennen konnte, hielt der Zug aber nicht. Er bremste nicht einmal.

»Hey, McHenry, macht's dir was aus?« Er zeigte auf die Tür und machte einen Schritt zurück, während Macey sie öffnete und in den Gang linste.

»Hallo, Officer!«, rief sie dem Mann zu, der draußen Wache hielt. »Kann ich Ihr Gewehr mal sehen?«

Als uns der Mann den Rücken zukehrte, huschte Zach in den Korridor und zur Tür am Ende des Wagens. Ich folgte ihm, aber er blieb plötzlich stehen und drehte sich um. »Hey, Gallagher Girl«, sagte er und schaute mir tiefer in die Augen als je zuvor, »versprich mir was!«

Der Zug fuhr schneller. Die Nacht hinter den Fenstern war stockdunkel. Und Zach trat näher.

»Sei« – er berührte sanft meine Stirn, wo der blaue Fleck einmal war, und als ob die Stelle noch immer geschwollen wäre – »vorsichtig!«

Dann öffnete er die Tür. Für einen Moment war der Lärm ohrenbetäubend. Wir überquerten eine tiefe Schlucht. Auf beiden Seiten war nichts, als Zach die Arme ausbreitete. Eine flüchtige Sekunde lang schaute er zu mir zurück.

Und sprang in die Nacht hinein.

»Aha …« Die Stimme hinter mir war kräftig und ruhig. Ich drehte mich um und sah eine sehr mitfühlend aussehende Macey und eine äußerst beeindruckt aussehende Tante Abby, die auf mich und den schwindenden Fallschirm, der Zach war, starrten. »Das ist also der Mann deines Lebens.«

Kapitel Zwanzig

Wenn eine Agentin mitten in einer Mission geschnappt wird, gibt es viel zu sagen. Und zu tun. Toll ist, wenn man dem Fänger blitzschnell ein oder zwei Legenden auftischen kann, um ihn von seinem ursprünglichen Vorhaben abzubringen. Außerdem ist eine Irreführung immer von Nutzen, damit man allen anderen, nur nicht sich selbst, die Schuld geben kann. Oder man kann sich einfach zurückziehen.

Aber wir befanden uns in einem fahrenden Zug.

Und ich hatte keinen Fallschirm.

Und Tante Abby starrte mir direkt ins Gesicht.

Ich erwartete, dass sie lächeln würde, wie damals, als sie mich unter ihrem Bett hervorgezogen hatte, aber sie durchbohrte mich mit einem Blick, der wütend und gleichzeitig ängstlich war, als Macey und ich zum Abteil Vierzehn zurücksausten.

»Setzen!«, befahl meine Tante, und wir nahmen auf dem unteren Bett Platz, während Tante Abby im Abteil auf und ab ging. »Wisst ihr eigentlich, was ihr getan habt?« Es war jedoch keine richtige Frage. »Wisst ihr, was heute Nacht hätte passieren können?«

Ihre Stimme schwankte. Ich fürchtete kurz, dass der Geheimdienst wieder zur Tür hereinkäme, aber der Zug war laut, es regnete heftig, und wir ratterten durch die Dunkelheit. Ich schaute mich vergeblich in dem engen Raum um. Für mich, Cammie, das Chamäleon, gab es absolut kein Versteck.

»Habt ihr überhaupt eine Ahnung, wie gefährlich das alles ist? Wenn der Geheimdienst euch erwischt … Wenn ein Mitglied der Presse herausbekommt, wozu ihr fähig seid … Wenn es zwei Mädchen an eurer Schule – auf der Welt – gibt, die es besser wissen sollten, als sich in solche Gefahren zu begeben, dann doch *ihr!*«

»Ich dachte, Regeln sind dazu da, dass sie verletzt werden«, meinte ich etwas verwirrt. Dann fing ich an, mich zu ärgern. »Ich dachte, ein Spion zu sein, bedeutet, dass man sich die Regeln zurechtbiegen darf.« Ich versuchte, meine Tante mit den eigenen Worten zu schlagen.

»Ein Spion zu sein, bedeutet, nie den Luxus zu genießen, unvorsichtig zu sein!« Der Zug wackelte, und die Nacht wurde noch dunkler, als Tante Abby sich näher zu uns herunterbeugte und sagte: »Eins kannst du mir glauben, Cameron, das ist eine Lektion, die du nicht am eigenen Leib erfahren möchtest!«

Vielleicht war es der Lärm des Zuges oder der Ausdruck in ihrem Gesicht – ich musste jedenfalls daran denken, wie anders sie im Büro meiner Mutter war. Die Verwandlung meiner Tante Abby, die ich kannte, in eine Frau, die ich noch nie zuvor gesehen hatte. Und genauso schnell wurde mir klar, dass die lächelnde, lachende, tanzende Frau, die nach viereinhalb Jahren wieder in mein Leben trat, nur Tarnung war – ein Gallagher Girl, das vorgab, eine Frau zu sein, die sie in Wirklichkeit gar nicht war.

»Wo bist du gewesen, Tante Abby?«, hörte ich mich fragen. »Dad ist gestorben und du warst nicht da!«, schimpfte ich und dachte an eine Zeit in meinem Leben, die ich unbedingt vergessen wollte. Ich merkte, dass mir die Stimme versagte und meine Augen feucht wurden. Der ständig wackelnde Zug war schuld, dass mir schwindlig wurde, redete ich mir ein, aber ich wusste es natürlich besser und schrie: »Er ist gestorben, und du bist nicht mal zur Beerdigung gekommen! Du hast nicht angerufen! Du hast uns nicht besucht! Dad ist gestorben und *du* warst nur noch ein Gespenst!«

Tante Abby drehte mir den Rücken zu. Sie ging zur Tür, aber die Worte waren jahrelang in mir gewesen, die Zweifel und Fragen hatten sich angestaut, und ich konnte sie beim besten Willen nicht aufhalten.

»Wir haben dich gebraucht!« Ich dachte an meine Mutter, die immer noch weinte, wenn sie glaubte, dass es niemand mitbekam, und plötzlich weinte ich auch. »Warum warst du nicht da, als wir dich gebraucht haben?«

»Hast du es denn immer noch nicht begriffen?« Tante Abbys Stimme war jetzt weicher, als ob sie in einen Traum zurückgekehrt wäre. »Es gibt Dinge, die du gar nicht wissen willst.«

Ich spürte, wie der Zug langsamer fuhr – oder war es die Welt, die sich langsamer drehte? –, als meine Tante mir an der Tür noch zuflüsterte: »Halt dich von dem Jungen fern, Cammie!« Diesmal war es kein Befehl, eher eine Bitte.

»Zach?«, fragte Macey, als gäbe es noch einen anderen. »Er geht doch ins Blackthorne Institut. Wir kennen ihn.«

Dann sah mich Tante Abby an. Zum ersten Mal schien

es, als ob sie lächeln wollte, aber ihre Miene war nicht froh. »Wirklich?«

Ich liebe die Gallagher Akademie bei Nacht. Die Schatten machen alles schön. Es ist die einzige Zeit, in der sich von außen ahnen lässt, was im Innern passiert. Nichts ist richtig schwarz oder weiß, die ganze Welt ist in Grautöne getaucht.

In dieser Nacht war es nicht anders.

»Und was bedeutet das?«, wollte Liz wissen. Bex ging hin und her, aber ich stand an dem kleinen rautenförmigen Fenster in unserem Mansardenzimmer, schaute auf das dunkle Gelände und ließ mir die Geschichte, die ich gerade erzählt hatte, noch einmal durch den Kopf gehen.

»Du meinst, Zach ist aus dem fahrenden Zug gesprungen?«, fragte Bex und machte sich nicht einmal die Mühe, ihre Neidgefühle zu verbergen.

Macey zuckte mit den Schultern.

»Kaum zu glauben, dass du *so* rausgegangen bist«, sagte sie und musterte mein kurzes Kleid und die hohen Absätze.

Ich versuchte zu lächeln. »Am Anfang hatte ich sogar noch eine Perücke auf.«

Eigentlich dachte ich, sie würde lachen. Ich wollte, dass sie mit den Augen rollte oder irgendwas über künstliche Haare sagte, die sich Leute, die von Mode keine Ahnung hatten, tatsächlich überstülpten. Ich wollte, dass es lustig klang. Aber es war keine lustige Geschichte.

»Also war deine Tante Abby …«, fing Liz an und senkte die Stimme, »richtig *böse*?«

Ich nickte. *Böse* entsprach nicht ganz der Wahrheit, aber im Augenblick fiel mir nichts Besseres ein.

»Cam, dir passiert schon nichts«, meinte Bex. »Deine Tante ist cool.«

Aber Bex hatte die Verwandlung von Tante Abby im Zug nicht erlebt. Sie hatte nicht gehört, wie ihre Stimme gebebt hatte, und sie hatte auch den Ausdruck in ihrem Gesicht nicht gesehen, als sie durch den Geschichtssaal zum Büro meiner Mutter gegangen war und die Tür hinter sich zugemacht hatte, woraufhin Macey und ich allein die Treppe hochgegangen waren.

»Was ist?«, fragte Bex, was wohl bedeutete, dass sie mich besser kannte, als ich mich selbst.

»Er …« Ich kämpfte mit der Antwort, weil ich nicht wusste, was ich sagen sollte oder glauben wollte. »Er hat mich nicht geküsst.«

Ja, ich war von einem Mitglied des amerikanischen Geheimdienstes schwer zurechtgestutzt worden. Ja, ich war erwischt worden, als ich mich aus der Schule geschlichen und gegen ungefähr ein Dutzend Regeln der Schule verstoßen hatte. Und ja, mein Ellbogen war stark geschwollen, weil Zach und ich auf dem Boden von Maceys Abteil gelandet waren.

Trotzdem grübelte ich vor allem darüber nach, weshalb er mich nicht geküsst hatte.

»Er hat nicht mit mir geflirtet«, stellte ich sachlich fest. »Er hat mich nicht aufgezogen. Als mir klar war, dass ich ihn in Boston gesehen hatte …«

»Warte!« Bex rückte näher, ohne den Riesenhaufen Junkfood zu beachten, den sie und Liz nach ihrem Ausflug mit dem Auto in die Schule geschmuggelt hatten. Ihre Augen funkelten. »Zach war in Boston?«

»Ich hab mir eingebildet, ihn gesehen zu haben«, sagte

ich etwas ruhiger. »Aber ich dachte, ich würde … ihr wisst schon …«

Bex und Liz blickten sich an, als ob sie *nichts* wüssten.

»Sie hat geglaubt, ihn zu sehen, weil sie ihn sehen *wollte*«, erklärte Macey.

»Ooooh«, machten Bex und Liz gleichzeitig.

»Das ist eine Begleiterscheinung des leidenschaftlichen Küssens«, stellte Macey wie eine Ärztin fest, die auf eine Nebenwirkung hinweist. »Und dann?«

»Also hab ich mir nicht weiter Gedanken darüber gemacht. Aber heute hab ich ihn wiedergesehen. Und er hatte sich genauso getarnt. Da war ich dann sicher, dass *er* das in Boston war.« Ich schaute auf den kleinen Berg Bonbonpapier und die halbleeren Chips-Tüten und erinnerte mich, dass wir vor einem Jahr im selben Zimmer gemeinsam in Joshs Abfall gewühlt hatten. Anscheinend gab es für uns aber noch eine Menge zu lernen, vor allem was Jungs und ihre schmutzigen kleinen Geheimnisse betraf.

»Er ist dir also schon früher gefolgt. Na und? Er tut wahrscheinlich nur, was *wir* tun, nämlich Macey verfolgen«, sagte Liz.

Dann schien ihr plötzlich etwas einzufallen.

»In Boston gab es aber keinen Grund, sie zu verfolgen«, stellte ich fest. Ich musste es dringend laut aussprechen und betrachtete wieder das Gelände, das dunkler als sonst wirkte. Und kühler. Unbemerkt war der Herbst gekommen, und ich zitterte noch ein bisschen vom kalten Regen.

»Vielleicht wusste er, was passieren würde«, sagte Macey.

»Oder er gehörte zu den Tätern«, meinte Bex und klang wieder skeptisch.

»Oder« – Liz' Augen glänzten als einziges – »er wollte in Cammies Nähe sein!«

Macey hob die Schultern, als wollte sie sagen, dass unsere kleine blonde Freundin vielleicht gar nicht so falschlag.

Wie auch immer, es änderte nichts an der Tatsache, dass ein ausgesprochen süßer, ausgesprochen geheimnisvoller Jungspion es darauf abgesehen hatte, uns zu retten, zu kidnappen oder mit uns auszugehen.

Und ich war nicht sicher, womit wir am besten klarkommen würden.

Ich kenne mich mit normalen Mädchen nicht so gut aus, aber für junge Spioninnen gibt es nur wenig, was so beängstigend ist wie eine verriegelte Tür, ein abgeschlossenes Zimmer und eine geflüsterte Unterhaltung, die man nicht richtig versteht. Am nächsten Tag musste ich mit allen drei Dingen fertigwerden.

Der Geschichtssaal blieb dunkel. Die Tür zum Büro meiner Mutter blieb geschlossen (und leider auch schalldicht). Mir fiel der Gang ein, der an der hinteren Wand ihres Zimmers vorbeiführte, schüttelte dann aber den Kopf. Ich wusste nicht, was meine Tante ihr erzählt hatte und welchen Ärger ich bekommen würde.

Rings um mich herum machten Mädchen sich Sorgen wegen der anstehenden Tests und Projekte. Sie öffneten Briefe von zu Hause und diskutierten weiter darüber, ob das neue Gesicht von Mr Smith ihn so sexy wie Mr Solomon machte. Aber ich musste immer nur daran denken, dass die Welt nichts weiter als ein Netz aus Geheimnissen ist. Ich fragte mich, ob es denn nicht möglich war, sich daraus zu befreien.

An diesem Sonntagabend ging ich zum Büro meiner Mutter und dachte über Tante Abby, Zach, Philadelphia und Boston nach – all die Fragen, die mir keiner beantwortete. Aber als ich den Geschichtssaal betrat, merkte ich, dass ich mir Gillys Schwert ansah.

Ich hörte mich flüstern: »Jemand weiß Bescheid.«

Als ich an die Tür meiner Mutter klopfte, war mir klar, dass es kein normales Sonntagsessen werden würde …

Weil Macey schon da war.

Ich blickte von meiner Mutter zu meiner Mitbewohnerin und dann zu meiner Tante. Ich erwartete Geschrei. Aber als meine Mutter »Cammie« wisperte, war es schlimmer. Viel schlimmer. Die Tür schloss sich hinter mir, und dann sah ich auch noch Mr Solomon. Ich wusste nicht mehr, was ich denken sollte.

»Mom, ich –«

»Mir wurde gesagt, dass Liz und Bex draußen waren, um während deiner … *Mission* in der vergangenen Nacht den Prototyp eines neuen Geräts für Dr. Fibs zu testen, stimmt das?«

Ihr Blick schien mich zu warnen, nichts abzustreiten. »Ja«, antwortete ich schnell.

»Sehr gut.«

Einen Augenblick dachte ich, das wäre es schon gewesen, aber die Lektion war natürlich noch nicht vorbei. »Cameron, ich habe mich darauf verlassen, dass du mir glaubst, wenn ich sage, dass Maceys Sicherheit dich nichts mehr angeht.«

»Ja, Madam.«

»Ich habe mich darauf verlassen, dass du darüber im Bilde bist, dass Sicherheitsmaßnahmen nicht einfach so nach Lust und Laune behindert werden dürfen.«

»Ja, Madam.«

»Ich habe dir vertraut, Cammie.« Die Stimme meiner Mutter war jetzt weicher, weshalb es mir schwerer fiel, ihr zuzuhören.

»Ich habe gestern Abend einen Anruf von Bex' Mutter bekommen«, fuhr Mom fort, und ich wappnete mich gegen den Zorn zweier Spionage-Mütter. »Die Familie Baxter möchte, dass du die Winterferien in London verbringst –«

»Echt?«

»Und wenn ich höre«, sprach meine Mutter weiter, ohne auf meine Frage zu achten. »Wenn ich sehe ... wenn ich auch nur *vermute*, dass du dich wieder unerlaubt vom Schulgelände entfernt hast, wird nichts aus diesem Besuch. Habe ich mich deutlich genug ausgedrückt?«

»Ja«, antwortete ich und spürte die Schwere der Situation auf meinen Schultern.

»Inzwischen ist es ein Kopf-an-Kopf-Rennen geworden«, sagte meine Mutter. Sie war *zu* ruhig. *Zu* gelassen. »Da ist es doch verständlich, dass Maceys Eltern sie bei sich haben wollen, so oft wie –«

»Nein!«

»– möglich«, fuhr meine Mutter fort, als ob sie mich nicht gehört hätte.

Ich streifte Macey mit einem Blick. Sie war schon den ganzen Tag lang sehr still gewesen, aber hier im Büro meiner Mutter war ihr Schweigen kaum noch auszuhalten.

»Natürlich«, fügte Mom hinzu, »erlauben wir das nicht.«

Ich hatte schon den Mund geöffnet, um zu protestieren, und klappte ihn schnell wieder zu.

»Sie meinen«, sagte Macey neben mir, »Sie meinen, ich muss nicht ... gehen?«

»Nein«, erklärte Mr Solomon. »Das Risiko, Miss McHenry, ist einfach zu groß. Wir wollen, dass Sie zu Hause bleiben, wo Sie hingehören.«

Ich hatte lang mit Macey zusammengelebt, aber eines lernt jeder Spion irgendwann: Man weiß nie alles. Und ich hatte Macey noch nie so, wie in diesem Moment gesehen. Ich dachte an das Mädchen, das sich aus der Limousine geschoben hatte, und an das Mädchen, das sie geworden war, bevor diese verrückte Wahl sie wieder zurückverwandelt hatte. Es war, als ob die Wörter »zu Hause« ein Code oder ein Signal gewesen wären, die ihr klarmachten, dass sie in Sicherheit war und sich entspannen konnte.

»Falls du damit einverstanden bist«, sagte meine Mutter, und Macey nickte.

Mr Solomon gab die Tür frei, also rannten wir wie alle guten Agenten (ganz zu schweigen von Teenies in Schwierigkeiten) darauf zu.

»Oh, Cammie!«, rief Mom hinter mir her. Ich blieb stehen, während Macey vorauslief. Mr Solomon und Tante Abby folgten ihr und schlossen die Tür. Meine Mutter kam näher. »Sorg dich nicht um Macey, Cam!« Aber es waren keine tröstenden Worte. Es war ein Befehl. »Der Geheimdienst macht seine Sache gut. Und meine Schwester ist zwar anders als ich, macht ihre Sache aber auch sehr gut. Ich will nicht, dass du dir wegen Macey Gedanken machst.«

»Okay.«

»Ich mein es ernst.«

»Ich auch«, sagte ich und tat es zu diesem Zeitpunkt wirklich.

»Ich wusste, dass du im Abteil warst.« Maceys Stimme tönte durch den Geschichtssaal. Drunten in der großen Halle aßen und tratschten Mädchen, aber Macey saß auf der Treppe und schaute hinunter ins Foyer, als ob sie nicht die Kraft hätte, auf den Füßen zu stehen.

»Ich hab dich nicht gehört oder so was«, fuhr sie fort, als ich näher kam. »Es war nur … so ein Gefühl, weißt du?«

»Ja«, sagte ich und meinte es ehrlich.

»Das obere Bett hing zu weit runter, und die Zeitschrift auf der Bank war verrutscht. Da wusste ich es einfach.« Sie sah mich an. »Ich bin gut in solchen Sachen, oder?«

»Ja.«

»Als deine Mutter mich ins Büro rief, dachte ich … ich dachte, sie würde mich rausschmeißen.« Macey hob leicht die Schultern. »Meistens ist es doch so.«

Ich kenne Macey ohne Make-up und in ausgebeulten Jeans. Ich hab gehört, was sie im Schlaf murmelt, und gesehen, wie sich ihre Lippen bewegen, wenn sie liest und einfach nicht begreift, was da steht. Ich kenne Macey McHenry, aber an diesem Abend auf der Treppe wurde mir klar, dass ich wirklich nie erfahren würde, wie es war, *sie* zu sein.

Die McHenrys besitzen fünf Häuser, aber die Schule ist ihr einziges Zuhause. Sie ist die berühmteste Tochter Amerikas, aber Liz, Bex und ich sind ihre einzige Familie.

»Niemand schmeißt dich raus, Macey.« Ich versuchte zu grinsen. »Du weißt viel zu viel. Inzwischen müssten wir dich umbringen.«

Es dauerte siebenundvierzig Sekunden, aber am Ende lächelte Macey. Am Ende musste sie sogar lachen.

»Und was ist mit Preston?«, fragte ich, weil ich vor Neugier fast explodierte. Okay, ich hab ihn erst nach vierundzwanzig Stunden erwähnt, aber ich hatte anderes im Kopf. Zum Beispiel meine geistige Gesundheit, meine Zukunft und ob Zachs plötzliches Desinteresse am Küssen irgendwas damit zu tun hatte, dass sich meine Haare kräuseln, wenn es regnet. Es hielt mich aber nicht davon ab, näher an Macey heranzurücken und sie leise zu fragen: »Hab ich dich und Preston knutschen gehört oder nicht?«

»Es gibt Leute, die ich anheuern könnte, um dich zu töten und es wie einen Unfall aussehen zu lassen.«

Ich ergriff das Geländer und drehte mich ein paar Stufen höher. »Er ist gar nicht so übel.«

»Echt – es würde nicht mal eine Leichenschau geben.« Macey nahm eine Stufe und fügte hinzu: »Muss ich dir vielleicht erklären, dass heimliche Freunde die schärfsten sind?«

Trotz allem lächelte ich. »Ich hab's kapiert.«

Kapitel Einundzwanzig

Ich weiß noch genau, wie ich meinen allerersten geheimen Gang fand. Ich war erst drei Tage an der Akademie. Mom hatte gerade mit ihrer Arbeit begonnen, mein Vater war kurz zuvor gestorben. Und ich besuchte die Schule, von der ich mein Leben lang gehört hatte (zumindest seit ich herausgefunden hatte, dass es für meine Eltern *geheime* Gründe gab, weshalb sie meine Abschlussfeier im Kindergarten verpassten).

Ich ging die Korridore entlang und staunte über das Gebäude, das größer, älter und schöner war als alles, was ich je gesehen hatte. Dabei fragte ich mich, wie lange es wohl dauerte, bis ich begreifen würde, dass meine Mutter nie mehr weggehen und mein Vater nie mehr zurückkehren würde.

Ich fragte mich außerdem, ob ich wirklich in die Gallagher Akademie gehörte und ob ich es tatsächlich verdiente, beide Familiennamen – Morgan *und* Cameron – zu tragen.

Aber dann blieb ich in der Nähe der Bibliothek im Flur stehen.

Ein Fenster stand offen. Die Schule hatte immer noch den

muffigen Geruch eines Hauses, in dem lange Zeit viel zu wenig Leute gelebt hatten, und ich beobachtete, wie ein sanfter Wind durchs Fenster blies, Staub über den Fliesenboden wirbelte und Schmutz sich in den Fugen entlangwälzte wie Wasser in einem Fluss. Irgendwo verschwanden die Staubkügelchen ganz plötzlich an einer Mauer, als ob sich dort im Mörtel ein Wasserfall befände, den das bloße Auge nicht sehen konnte.

Ich schob und zerrte fünf Minuten lang, bis die Wand zur Seite glitt, und ich zum ersten Mal die Erfahrung machte, vor aller Augen abzutauchen.

Drei Tage hatte es gedauert. Drei Tage hatte ich mich an einem Ort befunden, der mir gefiel. Drei Tage …

Und schon suchte ich nach einem Schlupfloch.

Bevor man mir verbot, das Grundstück zu verlassen.

VOR- UND NACHTEILE, WENN MAN IM TOLLSTEN GEBÄUDE DER WELT HAUSARREST BEKOMMT:

VORTEIL: Es ist viel einfacher, deine Mitbewohnerin vor Kidnappern zu schützen, wenn sie die meiste Zeit in deinem Zimmer verbringt.

NACHTEIL: Wenn Mr Mosckowitz dich am Freitagabend bittet, ihm beim Korrekturlesen seines Referats für das Seminar über die hervorragende europäische Verschlüsselung zu helfen, kannst du nicht sagen: »Tut mir leid, aber ich bin verreist.«

VORTEIL: Sich nicht in geheimen, uralten Tunneln aufzuhalten, bedeutet, dass du längst nicht so viele fragwürdige Flecken auf deiner weißen Bluse bekommst.

NACHTEIL: Wenn deine Mitbewohnerin eine überaus wichtige Entdeckung in Bezug auf sauberen Kraftstoff testet (der sich zufällig in einem Dodge-Minivan befindet), kannst du nicht blitzartig das Weite suchen.

VORTEIL: Du brauchst dir keine Sorgen zu machen, dass du dem Typ zufällig über den Weg läufst, der hinter dir her war oder auch nicht.

NACHTEIL: Du kannst dem Typ, der dich vielleicht beschützt hat oder auch nicht, nicht zufällig über den Weg laufen. (Auch wenn du es gar nicht nötig hast, beschützt zu werden, zählt doch der gute Wille.)

VORTEIL: Du hast viel Zeit zum Nachdenken.

NACHTEIL: Dir gefällt nicht immer, woran du denkst.

Zach hatte nicht versucht, mich zu küssen.

Natürlich gibt es größere Geheimnisse auf der Welt, und die CIA hätte diese Information ganz sicher als unbedeutend eingestuft (das weiß ich von Liz ... ich hab sie gefragt). Vielleicht lag es an den Mauern, die sich so nah anfühlten, oder am Schulgelände, das sich so klein anfühlte, aber aus irgendeinem Grund zog mich die Tatsache, dass er mich nicht geküsst hatte, immer weiter runter.

Versteht mich nicht falsch – ich halte mich nicht für so attraktiv, dass jeder scharf darauf ist, mich zu küssen (echt nicht), aber jeden Morgen kam ich an der Stelle vorbei, an der Zach mich vor der ganzen Schule nach hinten gebogen hatte. Im großen Saal saß ich abends beim Essen immer genau da, wo wir getanzt hatten. Und jeden Tag gingen mir mit jedem Schritt die gleichen Fragen durch den Kopf:

Warum war Zach (unter anderem auch) in Boston gewesen?

Was hatte er mit *er habe nichts mehr zu verlieren* gemeint?

Wer hatte das alles in Gang gesetzt? Und warum?

Drei Wochen lang wanderte ich durch die Hallen und grübelte über die Menschen, die mich verletzt hatten, und über einen Jungen, der nicht versucht hatte, mich zu küssen – zwei große Rätsel, von denen ich vielleicht nur eines lösen könnte.

»Hast du noch mal nachgeschaut?«, erkundigte ich mich bei Liz nach dem Kultur-und-Anpassungs-Unterricht. »Mrs Buckingham hat gesagt, dass der britische Geheimdienst MI6 jede Woche ein Dutzend neuer Terroristengruppen in seine Datenbank eingibt.«

»Ich weiß«, meinte Liz. »Aber Cam, da ist nichts. Ich hab das Bild mit dem Ring der Frau überall gesucht – MI6, MI5, CIA, NSA, FBI. Glaub mir, wenn sie Großbuchstaben hatten, hab ich mich in ihre Computer gehackt, aber die Aufnahme ist nirgends zu finden!«

»Ich hab mir das Symbol nicht ausgedacht! Es *muss* existieren ...«, zischte ich, hielt aber den Mund, als mich meine allerbesten Freundinnen merkwürdig ansahen.

»Cam, Darling«, sagte Bex. »Nervt dich irgendwas?«

»Ich, ähm ...«, fing ich an, aber Macey antwortete:

»Sie dreht durch wegen Zach.«

Ich bin vielleicht eine Straßenkünstlerin, aber Macey McHenry wird immer mehr über Typen und alles, was mit ihnen zu tun hat, wissen, als ich jemals kapieren werde.

»Was ist?«, fragte mich Macey achselzuckend, als ich sie anstarrte. »Ich bin ein intuitiver Mensch.« Sie machte einen Schritt auf mich zu. »Außerdem quasselst du im Schlaf.«

Sie hatte recht. Zach und ich waren im Zug zusammen aus der Koje gefallen, und seitdem stand die Welt auf dem Kopf.

»Jungs!«, schrie ich, aber zum Glück war es laut auf den Fluren, alle Mädchen hatten es eilig, und das Wort ging im Trubel unter. Würden wir sie je verstehen?

»Er kann nicht … schlecht sein, oder?«, meinte Liz leise. »Wir haben doch schon letztes Jahr festgestellt, dass er nicht schlecht ist, oder?« Das fragte sie nicht als Mädchen, sondern als Wissenschaftlerin, die ihre Modelle nicht noch einmal bewerten, ihre Nachforschungen nicht wiederholen oder irgendwelche Dinge ändern wollte, die sie, wie sie glaubte, schon einmal zweifelsfrei bewiesen hatte.

Aber sie war nicht mit uns im Zug gewesen. Sie hatte nicht mit eigenen Augen gesehen, dass Tante Abby über Zach Bescheid wusste. Und Zach wusste etwas von Boston. Und jemand wusste etwas über den Siegelring. Während Liz sich auf den Weg zum Labor machte und Macey zum Verschlüsselungs-Unterricht ging, betraten Bex und ich den Fahrstuhl ins zweite Untergeschoss, und ich musste einfach fragen: »Was nutzt es eigentlich, eine hervorragende Spionin zu sein, wenn die Leute, die über höchst geheime Informationen verfügen, noch hervorragender sind?«

Bex lächelte mich an. »Weil es sonst keinen Spaß machen würde.« Die spiralförmige Rampe kam mir noch steiler als sonst vor, als wir tiefer und tiefer hinunterliefen. Unten angekommen, schaute mir Bex ins Gesicht. »Und vielleicht gibt es ja ein paar Dinge« – sie redete langsam, und ich wusste, dass es ihr schwerfiel, die Sache auszusprechen – »die wir nicht wissen sollen.«

»Motivation«, sagte Mr Solomon. Wir ließen uns auf den Stühlen an den altmodischen Tischen des Klassenzimmers für *Geheimoperationen* nieder. Seit Wochen hatte ich unseren Lehrer eingehend gemustert, um seinen Augen irgendwelche Hinweise auf Zach, den Zug und die Antworten auf eine Million anderer Fragen, die in meinem Kopf herumschwirrten, abzulesen.

»Deshalb tun Leute, was sie tun«, erklärte er. Der Satz war so einfach und grundlegend wie seine anderen Lektionen. Trotzdem sagte mir etwas am Ton, dass es die wichtigste war.

»*Was*, meine Damen« – er machte ein paar Schritte und schaute sich suchend um – »ist fast immer mit einem *Warum* verbunden. Es gibt sechs Gründe, warum jemand etwas tut: Liebe, Glaube, Gier, Langeweile, Angst ...« Er zählte sie an den Fingern auf. Bei Nummer sechs verharrte er, holte tief Luft und sagte schließlich: »Rache.«

Ich dachte an die Leute auf dem Dach und fragte mich, welcher der sechs Gründe sie dorthin gebracht hatte. Und warum.

»Wir haben Apparate«, fuhr Mr Solomon fort. »Kommunikationsgeräte, Peilsender und Satelliten, die die Flügel einer Fliege fotografieren können, aber lassen Sie sich nicht täuschen – wir üben eine sehr alte Kunst aus. Sechs Gründe, meine Damen, die sich in fünftausend Jahren nicht verändert haben.«

Mr Solomon wandte sich zur Tafel. Meine Mitschülerinnen saßen aufmerksam da, aber in meinem Kopf drehte sich alles, während mein Hirn das zu verarbeiten versuchte, was mein Lehrer gerade gesagt hatte. Ich klammerte mich an die Tischkante und sah, wie das Klassenzimmer verblasste, die Welt aber plötzlich klar wurde, und ich sprach aus, was ich seit Wochen gewusst, aber gerade eben erst durchschaut hatte.

»Sie sind alt.«

»Wovon redest du eigentlich?«, fragte Bex. Zur Abwechslung hatte sie einmal Mühe, mit mir Schritt zu halten, als ich aus dem Fahrstuhl trat und die große Treppe erklomm.

»Wir haben uns geirrt. *Ich* habe mich geirrt«, sagte ich schnell.

»Cam, was –«

»Natürlich konnte Liz nichts in den Computerdateien finden. Fünfzig Jahre zurückzugehen, würde nichts nutzen. Hundert Jahre zurückzugehen, würde nichts nutzen. Bex, sie sind keine *neue* Gefahr!«

Im Foyer unter uns strömten die Mädchen in den Speisesaal. Die Flure füllten sich mit dem Duft von Lasagne und Gerede von Prüfungen, aber meine Freundin und ich standen allein im Geschichtssaal. Ich zeigte auf den heiligsten Schatz der Schule.

»Sie sind alt.«

Kapitel Zweiundzwanzig

»Genau«, murmelte ich und starrte auf das Buch, das auf dem Tisch vor mir lag. »Bestimmt bin ich schon hunderttausendmal an diesem Schwert vorbeigegangen. Ich hätte es sofort sehen müssen, als wir zurück waren. Ich hätte es auf dem Dach erkennen müssen. Ich hätte … Ich bin ein Idiot!«

»Es ist okay, Cam«, beruhigte mich Liz. »Du warst doch total … *gehirnerschüttert.*«

»Danke«, sagte ich, obwohl mir ihre Worte nicht so halfen, wie sie sollten.

Ich betrachtete die Radierung in dem alten Buch. Jede neue Schülerin der Akademie hatte von Gillian Gallagher gehört und das Bild begutachtet, aber an diesem Tag schaute ich nicht auf Präsident Lincoln oder die vielen Männer, die ihn umringten. Ich schaute nicht einmal auf die junge Frau mit dem Schwert, die mit mehr Anmut und Stärke durch den Ballsaal schritt, als ihr Reifrock es ihr eigentlich erlaubte.

Diesmal inspizierte ich den Mann am Boden, aus dessen lebloser Hand eine Pistole fiel, die leere Pistolentasche neben sich. Ich starrte auf das winzige Wappen, das ich schon hunderttausendmal im Griff des Schwertes wahrgenommen hatte und das neben Gillys Hand kaum sichtbar war.

»Das ist es«, sagte ich leise und schob das Buch ein Stückchen weiter, um besseres Licht zu haben.

Liz las den Titel des Bildes laut vor: »Gillian Gallagher erschlägt Ioseph Cavan, Gründer des Cavan-Zirkels. Virginia, Dezember 1864.«

»Sie hat ihn mit seiner eigenen Waffe getötet«, staunte Bex.

Dann ließ ich auf das offene Buch ein Satellitenfoto fallen. »Versuch des Cavan-Zirkels, Macey McHenry, Massachusetts, am heutigen Tag zu entführen.«

»Dann ist der Cavan-Zirkel also ...«, fing Liz an.

»... immer noch gesund und munter«, beendete Bex den Satz.

Ich sah meine Mitbewohnerinnen an. »Und sie wollen unsere Freundin haben.«

Ich wusste, dass es tatsächlich einen ersten Versuch, Präsident Lincoln zu töten, gegeben hatte. Ich war jahrelang am Schwert vorbeigegangen und hatte ein Dutzend Mal am Tag an Gilly gedacht, aber bisher war mir Gillys Geschichte immer wie ein fantastischer Traum vorgekommen. Als wir jetzt in der Bibliothek standen und das Kaminfeuer neben uns knisterte, wurde ich das Gefühl nicht los, dass wir gerade einen Drachen im See oder einen Flaschengeist im Labor gesehen hatten. Etwas Uraltes, Böses war lebendig. Ich wusste, dass Gilly in dieser Nacht den Kampf im Ballsaal gewonnen hatte, und kurz darauf hatte sie ihre Schule gegründet – vielleicht, weil sie sicher war, dass der Krieg noch lange weiterging.

»Glaubt ihr, dass sie es auf Macey abgesehen hatten, weil

sie …«, begann Liz. »Ihr wisst schon …«, sie wisperte, »… *von Gilly abstammt?«*

Ich erinnerte mich an den Tag vor mehr als einem Jahr, als meine Mutter uns davon erzählt hatte. Und als ich zu Bex blickte, war mir klar, dass ihr das Gleiche durch den Kopf ging wie mir: *Hundertprozentig*.

Die Leute auf dem Dach hatten Gründe, die Schule und Gilly zu hassen. Macey war das letzte echte Gallagher Girl – eine einmalige Chance, endlich Rache zu üben.

Ich schaute mir das Satellitenbild noch einmal an, das pixelige Schwarz-Weiß-Foto, das mir seit Wochen durch den Kopf gegangen war. Ich dachte an das, was Bex und Tante Abby gesagt hatten: Die Frau auf dem Dach hätte ihren Job viel zu gut gemacht – sie hätte keinen Ring getragen, mit dem man sie hätte identifizieren können. Aber jetzt wusste ich, dass dies genau der Grund war, weshalb sie ihn getragen hatte. Ich dachte an Tante Abbys Gesicht, als ich das Bild in ihrem Zimmer betrachtet hatte, und nun stand fest, dass meine Tante längst Bescheid wusste.

Zum ersten Mal seit Langem ergab vieles einen Sinn.

Was aber nicht hieß, dass mir die Sache gefallen musste.

Von diesem Augenblick an wirkte alles – und ich meine wirklich *alles* – an unserer Schule anders.

Der Teil der Bibliothek, der sich mit der Vergangenheit der Gallagher Akademie befasst – voller Bücher, die nicht die ganze Geschichte wiedergeben. Das Gemälde, auf dem Gilly am Fenster steht und über die Mauern schaut – jetzt konnte ich mir vorstellen, dass die Gründerin unserer Schule Angst vor etwas hatte, das sie in der Ferne sah.

Bis zum Wochenende hatte ich keinem einzigen Wort meiner Lehrer gelauscht, ohne etwas anderes herauszuhören. Dabei verbiss ich mir ein paar Fragen, die sie wahrscheinlich gar nicht beantwortet hätten: Wer war der Cavan-Zirkel? Was wollten diese Leute? Wo waren sie in den vergangenen hundertfünfzig Jahren? Und die allerwichtigste Frage, die ich mir auf dem Weg zum Abendessen am Freitag zwischen Liz und Bex stellte: Was sollten wir Macey erzählen?

Weil es nämlich schwieriger ist, als man meint, solche Dinge in einem normalen Gespräch zu erwähnen. Vielleicht so:

»Ach, übrigens, weißt du, der Typ, den Gilly damals getötet hat, scheint immer noch Freunde zu haben, die das wahnsinnig ärgert. Und jetzt wollen sie sich an dir rächen. Oh, und haben wir dir eigentlich schon gesagt, dass du Gillys Ururenkelin bist und überhaupt nur deshalb an unserer Schule aufgenommen wurdest?«

»*Iskhabar ko kisi kitab ke andar daal dein, ya aisa kuch?*«, wisperte Liz, als wir Hindi übten und unseren Makkaroni-Käse-Auflauf (für Feinschmecker) aßen. Ich fand aber, dass es falsch wäre, Macey die Nachricht mittels Liz' hervorragender Karteikarten ins Lehrbuch zu schmuggeln.

»*Usse apne pariwar ke panch jani dushmano ke naam puchain aur phir ek naam aur jord dein*«, schlug Bex vor. Ich schüttelte den Kopf, weil mir der Satz »Hey, Macey, gerade, als du gedacht hast, niemand könnte deine Familie so hassen wie du selbst« auch nicht korrekt erschien.

Der Knackpunkt ist nämlich der, dass wir Gallagher Girls zwar vierzehn Sprachen beherrschen, doch wenn es darauf ankommt, schlechte Nachrichten zu überbringen, auch nicht immer die richtigen Worte finden.

»Vielleicht …«, sagte ich langsam auf Englisch, trotz der Lehrer, die durch den großen Saal streiften, um zu hören, ob wir Hindi mit einwandfreiem Akzent sprachen, »vielleicht sollten wir es ihr gar nicht …«

»… sagen?«, fragte Liz, die meine Gedanken las.

Ich behalte nicht gern Geheimnisse für mich, was im Hinblick auf meinen zukünftigen Beruf zwar seltsam ist, aber wahr. Mir fiel ein, woran ich denken musste, als ich zum ersten Mal mit dem Fahrstuhl aus dem zweiten Untergeschoss nach oben fuhr – dass es Geheimnisse gibt, die wir für uns behalten, weil wir es nicht ertragen können, sie preiszugeben, und solche, die wir für uns behalten, weil es einfach besser ist. Ich sah meine Freundinnen an und fragte mich, welche Art von Geheimnis wir jetzt für uns behielten.

»Ich würde es wissen wollen«, warf Bex ein, und ich nickte, kein bisschen überrascht, aber froh, das aus ihrem Mund zu hören.

»Ich …«, wisperte Liz und beugte sich näher zu mir. »Ich finde …«, stotterte sie weiter. Liz, das Genie, war sich natürlich bewusst, dass es leichter ist, einen Entschluss zu fassen, wenn man über viele Informationen verfügt oder eine Menge Daten erfassen kann. Aber Liz, das *Mädchen*, fand, dass Ahnungslosigkeit manchmal ein Segen ist.

»Nein«, sagte sie schließlich kopfschüttelnd. »Ich würde es nicht wissen wollen. Und außerdem« – sie schaute mich mit weit aufgerissenen blauen Augen an – »wenn es für Macey das Beste wäre, Bescheid zu wissen, würden es deine Mutter, deine Tante Abby, Mr Solomon und alle anderen ihr doch sagen … oder nicht?«

Ich hasse es, wenn sie recht hat, was leider sehr oft der Fall ist.

Bex und Liz starrten mich an. Nun war ich das Zünglein an der Waage. Ein Mädchen am Tisch der Abschlussklasse hielt eine Zeitung in den Händen, die beim Umblättern laut raschelte. Die Überschrift »Ergebnisse im Wettlauf um die Präsidentschaft zu dicht beieinander« übertönte das Geschnatter von hundert Schülerinnen. Macey kam mit den anderen Neuntklässlern, die in *S+V* länger Unterricht hatten, zur Tür herein. Sie lächelte. Sie lachte. Das Mädchen vom See schien wieder weit weg zu sein. Aber sie steckte noch immer in Macey, und ich wollte sie wirklich nicht wiedersehen.

»Was gibt's?«, fragte Macey und setzte sich an meine Seite. Ich hatte keine Ahnung, was ich sagen sollte. Oder wie.

Zum Glück antwortete Mr Solomon. »Unangekündigter Test!«

»Sicher, einige von Ihnen haben sich nicht für das Fach *Geheimoperationen* entschieden …«, sagte Mr Solomon und musterte alle Anwesenden der zweitletzten Klasse am Tisch, »… aber es gibt Dinge im Leben – auf dieser Welt –, denen man sich nicht entziehen kann. Die Tatsache, dass fast alles, was man zu einem Menschen sagt, den man für den Rest des Lebens liebt, eine Lüge sein wird, gehört dazu. Wenn Ihnen also ein bisschen zusätzliche Arbeit nichts ausmacht …«, fuhr er fort und blickte auf Liz, was ungefähr so ist, als würde er mich fragen, ob mir ein zusätzlicher Nachtisch etwas ausmacht, »dann sehen wir uns im Foyer. Zivilkleidung. In zwanzig Minuten.«

Zehn Minuten später sprang ich die große Treppe hinunter, Bex und Liz hinterher. Der Adrenalinstoß, der sich einstellt, wenn wir für kurze Zeit den Standort wechseln, etwas anderes tun, jemand anderes sind, zischte durch mich hindurch.

Macey war neben mir. Ich hatte nicht die geringste Ahnung, was wir vorhatten, aber in diesem Moment war es mir, ehrlich gesagt, egal.

Tante Abby stand an der Tür und schmunzelte jede, die vorbeiging, wissend an. Macey und ich bekamen das nicht zu sehen.

Aber einen Arm. Einen Arm, der den Ausgang versperrte und sich nach Maceys Schulter ausstreckte.

»Tut mir leid«, sagte Tante Abby. »Kein sicherer Ort.«

Ich schaute zu Macey, zuckte mitfühlend mit den Achseln und versuchte, mich an ihr vorbeizuschieben. Aber Tante Abby machte mir keinen Platz. »Oh.« Sie sah mich an. »Ich glaube, deine Mutter und du haben eine Abmachung, stimmt's?«

Ich konnte draußen in der Dunkelheit die Schritte hören, die sich entfernten. Ich konnte die Chance spüren, die ich verpasste.

»Aber –«, begann ich. Ich wusste nicht, ob ich meine Tante, meine Lehrerin oder Maceys Geheimdienst-Schatten anflehte, aber mir war klar, dass diese Situation ein ernsthaftes Anflehen *irgendeiner Person* verlangte. »Es ist doch eine Aufgabe für die Schule!«, sprudelte es aus mir heraus. Tante Abby schüttelte nur den Kopf.

»Tut mir leid«, sagte sie und mit Blick auf Macey: »Natürlich fang ich jederzeit eine Kugel für dich ab, was aber nicht bedeutet, dass ich mich Rachels Zorn aussetze.«

Bex und Liz blieben draußen abrupt stehen und drehten sich nach uns um. Bex schien fragen zu wollen: »Wieso braucht ihr so lang?« Aber Tante Abby verschwand im Dunkel, ohne sich noch einmal umzusehen.

»Hey«, rief ich und rannte los, um Macey einzuholen. »Alles okay mit dir?«

Sie lächelte. »Mir geht's super.« Aber sie klang nicht super. Nicht einmal ein winziges bisschen.

»Du redest mit *mir*«, sagte ich. »Ich darf noch nicht wählen, schon vergessen?«

»Ich bin …« Diesmal schien sie über die Antwort nachzudenken, und ich wusste, dass es eine Chance gab, die Wahrheit und keinen Wahlspruch zu hören. »Ich bin sauer!«, platzte es aus ihr heraus, und die Worte hallten durch den langen menschenleeren Flur.

»Okay.«

»Und mir hängt alles zum Halse raus.« Sie hielt den eingegipsten linken Arm hoch. »Das blöde, dreckige, juckende … *Andenken*. Aber es bringt anscheinend zehn Stimmen mehr.«

»Okay.«

»Und ich hab es so satt …« Ihre Stimme war jetzt weicher, ihr Kampfgeist fast verschwunden, als sie sich auf die Treppe setzte. »Ich hab es so satt, Macey McHenry zu sein.«

Ich ließ mich neben ihr nieder.

»Es könnte schlimmer sein«, versuchte ich, sie zu trösten, und hoffte, dass mein Lächeln nicht so falsch aussah, wie es sich anfühlte. »Du könntest Linkshänderin sein.« Ich zeigte auf ihren linken Arm.

Macey lachte. »Ich könnte in einem Bus hocken … mit meiner Mutter.«

»Du könntest deine Mutter sein!«

»Ich könnte Preston sein«, sagte sie und lachte noch mehr.

Ich dachte kurz darüber nach. Wenn Macey ausflippte, obwohl sie im sichersten Gebäude des Landes lebte und Tante

Abby sie schützte, musste der Sohn eines Präsidentschaftskandidaten doch den Verstand verlieren.

»Ich bin so froh, wenn das alles vorbei ist«, gestand sie, als ob sie gerade ihr tiefstes, dunkelstes Geheimnis verraten hätte. »Ich bin für Dienstag *so was* von bereit.«

Das war der Augenblick, auf den wir gewartet hatten – die Einleitung, die ich gebraucht hatte, um ihr die Wahrheit zu sagen und sie zu warnen, dass das Ganze noch lange nicht vorbei wäre – dass sie am Mittwoch immer noch Gillys Ururenkelin sein würde.

»Was ist?«, fragte sie. Ich war in den Korridor gekommen, um ihr die Wahrheit zu sagen und sie zu warnen, aber Macey hoffte immer noch, dass am Dienstag alles geschafft wäre, und ich wollte ihr diese Hoffnung nicht allzu früh nehmen.

Ich stand auf, überlegte und trat von einem Fuß auf den anderen.

»Was hast du vor, Macey?«

»Ich möchte … ich möchte nicht andauernd beobachtet werden. Ich will nicht, dass mich die Leute in der Stadt angucken. Ich will nicht, dass mich meine Eltern angucken. Ich will einfach nicht« – sie drehte mir das Gesicht zu – »angeguckt werden.«

Wenn man wie Macey McHenry aussieht, klingt der Wunsch, zu verschwinden, verrückt. Aber nicht, wenn man ein Teenie ist. Nicht, wenn man in den vergangenen sechs Monaten auf dem Titelblatt jeder amerikanischen Zeitschrift war. Und nicht, wenn man ein Chamäleon ist.

Ich war vielleicht der einzige Mensch auf der Welt, der sie verstehen konnte, und vielleicht hatte sie es mir deshalb erzählt.

Und vielleicht sagte ich deshalb: »Los, komm!«

Kapitel Dreiundzwanzig

Wusste ich, dass es gegen die Vorschriften war? Ja. Hielt ich es für dumm? Total.

Dachte ich, dass es sich lohnen würde? Ehrlich? Ja, ich glaube schon.

Manchmal frage ich mich, wieso ich ein Chamäleon bin – warum ich mich gern verstecke und meiner Umgebung anpasse. Warum ich lieber unbemerkt bleibe, anstatt aufzufallen. Und als Macey und ich den Flur im Untergeschoss entlanggingen, war mir klar, dass es auch Vorteile hatte, unsichtbar zu sein.

Es hatte dann geschlagene neunzig Minuten gedauert, bis Macey McHenry erfolgreich umgestylt worden war (aber nicht, um das Beste aus ihrem Typ zu machen). Jetzt waren wir für die Außenwelt bereit. Ich betrachtete das Mädchen neben mir. Ihre berühmten blauen Augen versteckten sich hinter braunen Kontaktlinsen und dicken Brillengläsern. Wir hatten ein paar Sommersprossen auf der hellen Nase verteilt. Die glänzenden schwarzen Haare steckten unter einer Perücke mit roten Locken, und ich wusste, dass sich jeder, der sie ansah, später an nichts anderes als an viele rote Haare und eine Brille erinnern würde.

Ich griff nach dem alten Wandteppich der Familie Gallagher, der an der Steinmauer hing, wandte mich an das Mädchen, das ich kaum wiedererkannte, und fragte: »Bist du sicher?«

Sie langte nach dem kleinen Wappen, das in den Stein gemeißelt war, und drehte das Schwert, worauf sich einer meiner liebsten Geheimgänge für uns öffnete. »Und ob!«

Roseville war mir immer wie ein Ort erschienen, an dem sich nichts veränderte, aber in dieser Nacht brannten Leuchten in der Ferne und ein helles, irisierendes Strahlen erschien am Horizont. Auf dem Weg in die Stadt hörten Macey und ich Geräusche, die kamen und wieder verstummten. Leute strömten aus Restaurants, die Arme mit Decken beladen, und liefen dem Licht entgegen.

»Wozu hast du Lust?«, fragte ich Macey. Sie betrachtete das Spiegelbild zweier Mädchen im Schaufenster. Für die Einwohner von Roseville sahen sie wie ganz normale Teenager aus. Die Leute gingen an ihnen vorbei. Die Rothaarige im Schaufenster war unwichtig. Sie wurde nicht bemerkt, sie war unsichtbar.

Sie war wie ich.

Und sie genoss jede Sekunde und meinte: »Wir laufen ihnen hinterher.«

Für eine Straßenkünstlerin war es nichts Besonderes. Der helle Schein wurde stärker. Viele Leute marschierten auf den Seitenstraßen in die gleiche Richtung und entfernten sich so vom Marktplatz.

Ein paar Männer überholten uns und diskutierten.

»McHenry«, sagte einer. »Der ist auch nicht besser als die anderen.«

Ich schaute Macey an und erwartete eine Reaktion, aber ihre Miene blieb so gleichgültig wie bei jeder anderen Sechzehnjährigen.

»Es ist mir wurscht, ob er eine Verbindung zu Roseville hat!«, schimpfte einer der Männer.

»Du meinst seine Tochter in der Schule?«, fragte der andere.

Und dann tat Macey etwas, was ich nie vergessen werde. Sie rempelte den Mann an, hatte tatsächlich Tuchfühlung mit ihm und blickte ihm ins Gesicht. Ich hielt die Luft an, als Macey – das Mädchen, über das er sprach – ihn durch ihre Kontaktlinsen anstarrte und »Verzeihung« murmelte.

»Nein, verzeihen Sie *mir*, junge Dame!«, erwiderte der Typ und wandte sich seinem Freund wieder zu. Dann schritt er weiter dem Licht entgegen.

Wir hielten unser Versprechen gegenüber meiner Mutter nicht und gingen ein furchtbares Risiko ein. Aber Maceys Gesicht in dieser einen Sekunde machte das Ganze wett.

Wir bogen um die Ecke, ich sah die Strahler und die flatternde amerikanische Fahne, und erkannte die Geräusche. Es war … Football.

Das Stadion von Roseville lag am Ende der Stadt in einem Tal, keine fünfzig Meter von uns entfernt. Die Klänge der Band, die gerade zu spielen begann, hallten in den Bergen wider. Die jubelnde Menge wurde lauter. Wir näherten uns dem Maschendrahtzaun und schlossen uns den Menschen an, die durch die Eingänge strömten. Stahlträger rahmten die Tribüne. Als wir unter ihnen standen und auf das Feld schauten, fielen immer mal wieder Schmutzpartikel und Staubkörnchen wie leichter Schnee auf uns herab. Leute in Uniformen hielten große orangefarbene Schilder hoch. Ein Trainer ging aufgeregt hin und her und brüllte Anweisungen, die niemand zu hören schien. Cheerleader bewegten sich im Gleichschritt. Ihre roten Faltenröcke flatterten. Sie schrien und warfen die Beine hoch. Auf einer kleinen Bühne dahinter saßen noch fünf Mädchen, die Krönchen und Ballkleider trugen.

»Oh, wow!«, sagte Macey und zeigte auf eine sehr Hübsche im weißen Kleid in der Mitte, die eine Tiara auf dem Kopf hatte. Macey klang genauso überwältigt, wie ich mich fühlte.

»Vielleicht ist sie die Königin«, riet ich, weil wir uns auf einem total fremden Gebiet bewegten.

Spione müssen sich in allen möglichen Situationen wie zu Hause fühlen, aber ich glaube nicht, dass ich einmal irgendwo war, wo einige Leute Krönchen trugen und andere Sweatshirts. Mit Grandpa Morgan hatte ich mir natürlich schon Football im Fernsehen angeschaut, dabei aber nie junge Frauen in Abendkleidern bemerkt.

Um den Platz führte eine Laufbahn. Auf der anderen Seite war die Tribüne des gegnerischen Teams. Wir gingen am Imbissstand vorbei, und stießen mit Tina Walters zusammen.

»'tschuldigung«, murmelte Tina und stolperte. Dann starrte sie Macey an. Sie starrte mich an. Sie öffnete den Mund, um etwas zu sagen, und schüttelte den Kopf, als ob sie einen verrückten Gedanken loswerden wollte.

»Ähm … sorry.« Ich packte Macey am Arm und lief weg.

Macey schaute mich durch ihre braunen Kontaktlinsen mit weit aufgerissenen Augen an, während wir mit dem Mund lautlos *Unangekündigter Test!* formten.

In der Nähe der Toiletten sahen wir, dass Eva Alvarez als Fahnenmädchen eines Teams auftrat und mit einer Frau mittleren Alters redete, die ein sehr kurzes Oberteil trug, auf dem *I ♥ #32* stand.

Ich hörte Courtney Bauers Lachen unter der Tribüne. Und ich weiß, dass ich mich in einer Anhäufung von Gallagher Girls sicher fühlen sollte, aber sie waren gerade keine Rückendeckung – sie waren hochqualifizierte Agentinnen, die unsere Tarnung jeden Augenblick auffliegen lassen konnten.

Macey und ich blieben ruhig und gingen weiter, schauten und lauschten, bis sich auf einmal alles änderte. Wieder einmal. Ich spürte die Gegenwart der Gallagher Girls in der Menge, aber auch noch etwas anderes. Das Spiel schien für Roseville gut zu laufen, denn die Fans jubelten. Aber aus irgendeinem Grund musste ich an einen anderen Tag und eine andere Menschenmenge denken. Diesmal hielt ich mich aber nicht für verrückt, als meine Gedanken nach Washington sausten. Dieses Mal wusste ich, wonach ich Ausschau hielt.

»Er ist hier«, murmelte ich und ließ den Blick über die Leute schweifen. Ich sah keine Football-Fans, Cheerleader, Bandmitglieder und alternde ehemalige Sportskanonen mehr.

»Was ist?«, fragte Macey im Gebrüll der Zuschauer.

»Zach«, antwortete ich leise.

»Ich *weiß* nicht, warum er dich nicht geküsst hat!«, sagte Macey und seufzte genervt, als ob sie ganz und gar nicht in der Stimmung war, das Ganze noch einmal durchzukauen.

»Nein.« Ich schüttelte den Kopf. »Er ist *hier*!«

Meine Mitbewohnerin reagierte plötzlich sehr interessiert. »Woher weißt du das?« Sie schaute sich suchend um. »Ist es so eine Tarnsache?«

»Nein«, erwiderte ich. »Es ist eine Mädchensache.«

Macey nickte, als ob sie genau verstand, was in mir vorging. Sie sah zu den Tribünen. »Vielleicht sind die Blackthorne Boys ja auch hier, um Geheimoperationen zu üben«, meinte sie, aber ich schüttelte den Kopf. »Oooh! Solomon-Alarm!« Macey war auf einen Schlag hellwach.

Unser Lehrer stand neben der Fahnenstange und guckte in unsere Richtung. Es wäre ein Leichtes gewesen, sich blitzschnell umzudrehen und zu verstecken. Aber zum Glück blieb Macey bei mir, ruhig und still, während sein Blick über uns hinweghuschte.

Vielleicht war es Instinkt oder Training – jedenfalls war ich wie versteinert. Oder es war der Anblick des Jungen, der keine zehn Meter hinter unserem Lehrer mitten auf der Laufbahn stand und mich anstarrte.

Bei einer Geheimoperation erkannt zu werden, ist schlecht. So schlecht, dass es unsere Demokratie gefährdet (von unserem Leben ganz zu schweigen)! Feindliche Agenten können dich töten. Freunde, die keinen Schimmer haben, dass du dich als Dolmetscherin der Vereinten Nationen ausgibst und auf den Namen *Tiffany St. James* hörst, können deine Tarnung auffliegen lassen! Aber bis zu diesem Moment hatte ich keine Ahnung gehabt, wie gefährlich es ist, von deinem Ex-Freund entdeckt zu werden.

»Ist das nicht ...«, begann Macey, aber ich konnte nicht abwarten, bis sie den Satz zu Ende sprach.

»Josh.«

Mein Kopf schwirrte vor lauter Gründen, warum ich nicht in Panik geraten brauchte. Schließlich wurde das *Homecoming* mit den Ehemaligen gefeiert, weil der Sommer zu Ende war und die Schule wieder begann. Die ganze Stadt schien sich für die Show versammelt zu haben. Und nicht nur das – zurzeit sah ich mit meiner langen schwarzen Perücke, den blauen Kontaktlinsen und Jeans, die ich freitagabends niemals tragen würde, eher wie Macey aus. Keine zehn Meter von meinem ersten Freund entfernt, klammerte ich mich trotzdem an die Hoffnung, immer noch das Mädchen zu sein, das niemand sieht.

Aber Ausnahmen bestätigen die Regel. Und die Ausnahme stand vor mir.

»Hat er … ein bisschen zugenommen?«, fragte Macey und kniff die Augen zusammen, um durch die falsche Brille besser sehen zu können. »Er wirkt … heißer.« Es klang, als fände sie das total cool.

Ich wollte *Nein* sagen. Ich wollte so tun, als wäre es mir egal. Aber als ich mich umdrehte und ein paar Schritte machte, tat ich, was jeder Spion (und erst recht jede Ex-Freundin) tun würde: Ich folgte ihm.

Ich hätte auf Macey warten sollen. Stattdessen schob ich mich durch die Blaskapelle, die sich gerade aufstellte, um während der Halbzeit aufs Spielfeld zu stapfen. Ich lief dem Typ, der sich frei in der Menge bewegte und nicht versteckte, hinterher. Keine Tarnung. Ich staunte über die Tatsache, dass es Leute auf der Welt gab, die genau so sind, wie sie scheinen.

Aus der Sicht einer Straßenkünstlerin ist es ein Kinderspiel, einem Jungen wie Josh Abrams zu folgen. Schließlich hat er nicht unsere Ausbildung genossen, weiß über vieles nicht Bescheid und ist ausgesprochen sorglos, was *Die wesentlichen Elemente der Gegenspionage* (mein Lieblingsbuch, als ich sieben war) betrifft. Trotzdem war diese Mission komplizierter als alles, was ich seit Langem getan hatte. Vielleicht lag es daran, dass ich mich auf völlig neuem Terrain bewegte. Vielleicht lag es an den Menschen, die sich um mich scharten, und es mir schwer machten, gegen den Strom zu schwimmen. Oder es lag an einem anderen Jungen, der aus dem Nichts aufgetaucht war und mir den Weg versperrte.

»Was machst du hier, Gallagher Girl?«, fragte mich Zach mit leiser, aber fester Stimme. Er packte meinen Unterarm und zog mich vor einem Kabrio zurück, mit dem der Leiter der Veranstaltung um den Platz fuhr.

»*Geheimoperation*«, log ich. »Und du?«

»Ich dachte, du darfst die Schule nicht verlassen.«

»Ja, weil *du* dich ständig auf unserem Campus herumschleichst. Echt, Zach, bist du auch mal in *deiner* Schule?«

Er antwortete jedoch nicht (was, wie Macey meint, für Jungs und Spione eine typische Reaktion ist – keine Ahnung, als was er in diesem Moment auftrat).

»Ich hab mir schon gedacht, dass du so was ausprobieren würdest.« Es klang ehrlicher als alles, was er bisher gesagt hatte. »Ich möchte nur wissen …«, fing er wieder an und schien plötzlich nicht mehr wütend zu sein. »Ich möchte nur wissen, ob du es getan hast, um Jimmy wiederzusehen.«

»Josh«, verbesserte ich Zach zum millionsten Mal, aber er lächelte nicht, und mir wurde klar, dass der Spaß vorbei war. »Nein«, erwiderte ich und meinte es auch ehrlich. »Ich bin einfach nur … hier.«

Ich suchte ihn nicht, wusste aber irgendwie, dass Josh in einer Gruppe von Freunden keine drei Meter von uns entfernt war. Zach stand direkt vor mir. Hier war ich also zwischen zwei äußerst unterschiedlichen Typen gefangen. Ich weiß nicht, was ich getan hätte, wenn ich ein anderes Mädchen mit einer anderen Tarnung gewesen wäre. Aber für mich zählte im Augenblick nur eins.

»Warum warst du in Boston, Zach?« Die Luft war kühl und klar. Leise Musik kam aus dem Lautsprecher, als die Königin mit ihrem Hofstaat der Mitte des Spielfelds entgegenschritt. Ich spürte mehr als die neue Jahreszeit im leichten Wind, weshalb ich wohl den Jungen anschaute, den ich seit Monaten kaum gesehen hatte, und fragte: »Warum bist du hier, Zach?«

Ich trat näher an ihn heran und wartete darauf, dass er die Hand ausstreckte, mich mit irgendeinem Spruch aufzog und grinste. Und ich wollte, dass er *Wegen dir* sagte, sonst nichts.

Der Abstand zwischen uns schrumpfte, aber als ich noch einen Schritt auf ihn zu machte, trat Zach einen zurück. Im vergangenen Frühjahr hatte er mit mir geflirtet – und ich hatte die Unnahbare gespielt. Jetzt, im Schein der hellen Strahler, erkannte ich, dass wir die Seiten gewechselt hatten. Aber das Spiel gefiel mir nicht auf der anderen Seite.

»Komm!«, sagte er und nahm meine Hand (jedoch nicht auf eine nette, romantische Art). »Wir bringen Macey nach Hause.«

»Wir tun doch nichts *Schlimmes*!«

»Gut.« Er marschierte los. »Dann such ich jetzt Mr Solomon und hör mir an, was er dazu sagt.«

»Zach!«, begann ich, und er drehte sich rasch zu mir.

»Hast du überhaupt eine Ahnung, wer hier draußen ist?«, schrie er und rückte näher. »Ist dir denn alles egal?«

»Der Cavan-Zirkel hat es auf *uns* abgesehen, Zach! Nicht auf dich! Sie machen Jagd auf meine Freundinnen. Sie jagen Gallagher Girls und schubsen sie Wäscherutschen hinunter, also tauch nicht einfach hier auf und halt mir Vorträge darüber, was auf dem Spiel steht!« Er holte tief Luft, als ob er darauf antworten wollte, aber ich gab ihm keine Chance. »Falls Ioseph Cavans Anhänger mit Gillian Gallaghers Ururenkelin abrechnen wollen, geht uns das alle etwas an, was aber nicht heißt, dass das auch was mit *dir* zu tun hat!«

Der Ansager verkündete etwas über die Lautsprecher. Es ging um die Homecoming Queen und ihre große Liebe für junge Hunde oder so was Ähnliches, aber ich schaute nur Zach an und versuchte, den Gedanken abzuschütteln, dass ich ihn monatelang kaum gesehen hatte. Wenn überhaupt. »Warum habe ich wohl das Gefühl, dass ich dir nicht länger vertrauen kann?«

Ich wollte, dass er mich anschrie. Ich wollte, dass er sich zur Wehr setzte, protestierte, sich mit mir stritt – alles, nur nicht, dass er mir noch tiefer in die Augen sah und sagte: »Weil die Gallagher Akademie keine Dummen aufnimmt.«

Hunderte von Menschen füllten die Tribünen. Es waren Lehrer und Steuerberater, Vollzeitmütter und Männer, die in der Klopapierfabrik arbeiteten – normale Leute, die ihr Bestes taten, um ein normales Leben zu führen. Und auch wenn sie sich die allergrößte Mühe geben würden, sie waren so weit entfernt von Macey McHenry (der Spionin und dem Mädchen).

Und doch stand sie neben ihnen.

Neben uns.

Und sie hatte alles gehört, was wir gesagt hatten.

»Die Verbindung zu Roseville«, wisperte Macey und wiederholte damit, was der Mann auf der Straße gemeint hatte.

»Macey.« Ich trat näher.

»Bedeutet das …«, fing sie an, und ich wusste, dass es ein Dutzend verschiedener Möglichkeiten gab, den Satz zu beenden. Wenn ich gerade erfahren hätte, mit Gillian Gallagher verwandt zu sein, wäre ich total begeistert gewesen. Bex hätte es für das Allercoolste gehalten. Liz hätte vielleicht beschlossen, ein paar ernsthafte DNA-Experimente durchzuführen, um herauszufinden, ob Heimlichtuerei angeboren ist.

Aber es spielte keine Rolle, was *wir* getan hätten. Worauf es ankam, war, wie Macey reagierte.

»Hast du davon gewusst?«, fragte sie. Ihre Stimme war rau. Ihre Lippen zitterten. »Wie lange schon?«

Ich hätte wahrscheinlich lügen können. Aber ich tat es nicht. Vielleicht, weil Macey seit über einem Jahr mit mir zusammengelebt hatte und mich sowieso durchschauen würde. Vielleicht, weil wir das Belügen einer ausgebildeten Agentin in *Geheimoperationen* noch nicht durchgenommen hatten. Oder ich dachte vielleicht, dass Macey ein Recht darauf hatte, zu erfahren, dass sie unter Tausenden von Gallagher Girls auf der Welt die Einzige war, die Gillys Blut in den Adern hatte.

»Ja, meine Mutter hat uns –«

»Uns!«, stieß Macey hervor. »Weiß etwa die ganze Schule Bescheid?«

»Nein! Nur Bex, Liz und ich. Mom hat uns das alles erklärt, nachdem du an unsere Schule kamst. Sie –«

»Dann stamme ich also von Gillian Gallagher ab?« Das Feuer in Macey schien zu verlöschen. Deshalb streckte ich eine Hand nach ihr aus und hatte Angst, meine Freundin würde bei meiner Berührung zu Asche zerfallen. »Deshalb haben sie mich also aufgenommen?«

»Macey, es ist nicht –«

»Ist das wahr?« Sie starrte mich an, aber dieses eine Mal in meinem Leben konnte ich nicht lügen – mich nicht verstecken. Ich konnte nur zusehen, wie sie sich umdrehte und ohne ein weiteres Wort an den rot uniformierten Bläsern der Band *Stolz von Roseville* vorbeiging, die das Spielfeld verließen.

»Macey!«, rief ich ihr hinterher, aber dann lag meine Hand plötzlich in der von Zach.

»Cam –«

»Nicht jetzt, Zach.« Ich riss mich los. Vielleicht wollte ich Macey finden. Oder vielleicht wollte ich einfach nur irgendwo anders sein, nur nicht hier.

Ich bahnte mir einen Weg durch die Menge und kämpfte mich durch die Band – und sah überall, wo ich hinschaute, mögliche Gefahren.

Zehn Meter weiter auf der rechten Seite und drei Reihen höher saß ein Typ mit einer roten Baseballkappe, der ein paar Sekunden zu spät auf die Füße sprang und jubelte. Es war, als ob ihn irgendetwas abgelenkt hätte. Auf der Laufbahn zwischen den Cheerleadern und der Tribüne standen zwei Frauen nebeneinander und schauten sich suchend in der Menge um. Sie hatten Schuhe an, die keine Hausfrau aus einer Kleinstadt je getragen hätte.

Ich wollte in mein Kommunikationsgerät schreien und Rückendeckung verlangen, aber ich hatte keins. Es gab keine Rückendeckung. Und Macey war schon verschwunden.

Kapitel Vierundzwanzig

Die Straße aus Roseville heraus war mir noch nie so lang vorgekommen wie an diesem Abend, unsere Schule erschien mir größer als sonst, und als Bex, Liz und ich von Raum zu Raum gingen und in einem Stockwerk nach dem anderen Macey suchten, fühlte ich mich dümmer denn je.

Observierungsbericht

17 Uhr: Die Agentinnen Morgan, Baxter und Sutton durchsuchten das Gebäude der Gallagher Akademie strikt nach Lehrbuch, wobei sie einer Rastermethode folgten. (Sie waren sich ihrer Sache sehr sicher, da die Agentin Sutton das Lehrbuch mit sich führte.)

»Ich weiß, sie ist zurückgekommen«, sagte ich bestimmt zum hundertsten Mal, aber ich wollte es einfach immer wieder aussprechen. Es war mir egal, dass Bex und Liz es sich ständig anhören mussten. »Ich hab ihre Schritte bis in den Tunnel verfolgt … Sie ist da durchgelaufen – ich bin ganz sicher! Die

Perücke und den Rest der Tarnung hat sie vor der Tür gelassen. Also hab ich meine dort auch hingeworfen und mich dann auf die Suche gemacht ...« Ich sah Bex und Liz an und versuchte gar nicht erst, meine Panik zu verbergen, während ich sie anflehte, mir zu glauben. »Ich *weiß*, sie ist zurückgekommen!«

Ich wollte, dass Liz erklärte, die Chancen, dass es Macey gut ging, stünden entgegen aller Wahrscheinlichkeit nicht schlecht. Und von Bex wollte ich hören, dass alles okay war. Stattdessen starrte sie mich nur an und fragte: »Wie sauer war sie – auf einer Skala von eins bis zehn?«

Wir standen in der Bibliothek, aber zwischen den Bücherstapeln war außer uns niemand. Meine innere Uhr sagte mir, dass es fast fünf Uhr sein musste. Das Feuer im Kamin war nur noch ein Häufchen schwelende Glut und das einzige Licht im Raum. Ich dachte über Bex' Frage nach und stellte fest, *sauer* war nicht das richtige Wort. Mit *sauer* wurde man fertig, indem man mit Bex in der S+V-Scheune boxte. *Sauer* verschwindet, nachdem man sich ordentlich ausgeschlafen hat.

»Nicht sauer«, sagte ich und schüttelte den Kopf. »Sie war eher –«

»Tief enttäuscht.« Liz' Stimme war kaum zu vernehmen, und auch jetzt bezweifle ich noch, dass ihr bewusst war, die Worte ausgesprochen zu haben. Wir hatten Macey stundenlang gesucht, aber während Liz auf einer Stufe der Wendeltreppe zusammensackte, wurde mir klar, dass wir auch diese Freundin unterwegs verloren hatten.

»Als Macey es erfahren hat, war sie tief enttäuscht«, wiederholte Liz und hatte recht.

»Ja«, sagte ich zu ihr gewandt. »Tief enttäuscht.«

»Oh, ich geb ihr was, wenn ich sie finde – *ich* werde sie *tief enttäuschen!*« Bex' Akzent kam immer wieder durch. »Sie wird noch geschnappt werden, wenn sie sich so verdammt blöd verhält. Wie kann man bloß allein durch die Gegend rennen …«

»Du kapierst es nicht, oder?« Zum allerersten Mal hörte ich Liz ihre Stimme erheben, zum ersten Mal sah ich sie so kreidebleich. Selbst Bex war verdutzt. »Echt – schau dich doch mal an! Schaut euch beide mal an! Ihr wisst ja gar nicht, wie es ist! Ihr … gehört *dazu*!«, schrie Liz, als ob Bex und ich Teil eines alten Geheimnisses wären, aber keine Ahnung davon hätten. Vielleicht hatte sie sogar recht.

»Du.« Liz drehte sich zu Bex. »Du reist in den Sommerferien mit deinen Eltern in der ganzen Welt herum, spürst Waffenhändler auf und observierst Terroristen.«

Bex fing an zu protestieren, bis sie merkte, dass das, was Liz gesagt hatte, keine Beleidigung war und absolut der Wahrheit entsprach.

»Und du«, fuhr Liz fort und wandte sich jetzt wieder an mich. »Deine Mutter ist die Schulleiterin und deine Tante eine lebende Legende …« Ich spürte, dass ich rot anlief. »Ihr habt ja keine Ahnung, wie es ist, normal zu sein. Und dann erzählt dir jemand irgendwann, dass sich die anspruchsvollste, beste und tollste Schule der Welt in Roseville, Virginia, befindet« – Liz klang plötzlich verträumt, aber als sie uns wieder ansah, wurde ihre Stimme kraftvoll – »und *dich* diese Schule will.«

Mir fiel ein, dass ich in meinem ganzen Leben keinen Augenblick daran gezweifelt hatte, ein Gallagher Girl zu werden. Für Bex war die steilste Hürde nur die geografische Lage ihres Geburtsorts gewesen.

»Ja«, meinte Liz und schaute uns an. »Ich war immer gut in der Schule.« Was wahrscheinlich die Untertreibung des Jahrhunderts war, aber ich traute mich nicht, sie zu unterbrechen.

»Zu *mir* haben die Leute immer gesagt, dass ich klug bin – sie haben gesagt, dass ich etwas Besonderes bin. Aber Macey …« Liz konnte nicht mehr weiterreden. Meine Augen füllten sich mit Tränen, und selbst Bex sah aus, als ob sie gleich losheulen würde. »Was haben die Leute zu *ihr* gesagt?«

Darüber wollte ich nicht nachdenken. Jedenfalls nicht in diesem Moment. Eigentlich nie mehr. Also saßen wir drei in der Bibliothek, von Büchern und Geheimnissen umgeben, im Licht eines verlöschenden Kaminfeuers, und endlich wurde uns klar, dass wir die Einzigen in Maceys Leben waren, die es für falsch hielten, ein Mädchen nur aufgrund von Äußerlichkeiten zu beurteilen.

»Wir müssen sie finden!« Bex ging entschlossen zur Tür. »Und zwar *jetzt*!«

Aber ich war längst unterwegs und kämpfte mich trotz Erschöpfung und Angst voran. Mein Instinkt trieb mich weiter, während ich betete, dass ich mich irrte.

Ich hörte, dass mir die anderen folgten. Ihre Schritte hallten auf den alten Steinböden, und Bex rief: »Da unten haben wir schon nachgeschaut!«

Aber ich lief nur noch schneller durch die leeren Flure, an den leeren Klassenzimmern und dunklen Fenstern vorbei, und schließlich die Treppe hinunter, die zum längsten Korridor des Untergeschosses führte – an den Ort, an dem alles irgendwie begonnen hatte.

Dort gab es keine Fenster. Der Korridor war dunkel, der Steinboden rau, aber ich rannte trotzdem auf die Stelle zu, an die uns meine Mutter vor über einem Jahr gebracht hatte, um uns die Wahrheit über Macey zu erzählen.

Als ich vor dem Wandteppich mit dem Stammbaum der Familie Gallagher stehen blieb, überlegte ich, wie oft ich dahinter verschwunden war, aber ich wusste, dass unser Ausflug in dieser Nacht der wichtigste war, den dieser Gang je erlebt hatte.

Ich atmete schwer und fürchtete mich fast vor dem, was ich finden würde, als Bex und Liz neben mir auftauchten.

»Sie ist hier irgendwo«, sagte Liz. »Sie *muss* hier sein. Sie ...«

Aber ich hörte schon gar nicht mehr richtig zu, als ich den Wandteppich verschob und das winzige Schwert im Wappen der Gallagher Akademie an der Steinmauer drehte.

»Vielleicht ist sie im Aufenthaltsraum der Neuntklässler«, mutmaßte Liz wie jemand, der weiterreden muss, um nicht einzuschlafen. »Dort gibt es ganz bequeme Stühle ...«

Ich beobachtete, wie die Mauer zur Seite glitt und den leeren Gang offenbarte. Ich lauschte der Stille und schaute zu Boden, wo Macey und ich noch vor Kurzem unsere Tarnungen abgestreift und fallen gelassen hatten – da, wo jetzt keine Perücken, keine Brille und keine Spuren von uns mehr waren.

»Sie ist hier«, sagte Liz. »Sie kann nicht ...«

»... weg sein.«

Kapitel Fünfundzwanzig

Sagen Sie es mir!« Mr Solomons Stimme war ruhig, als er auf dem Couchtisch vor dem Ledersofa im Büro meiner Mutter saß. Ich schaute mich nicht um und hörte auch nicht zu, als meine Mutter an einem Telefon sprach und meine Tante an einem anderen. Ich beobachtete Liz und Bex nicht, die auf der Fensterbank saßen und Fragen von Mrs Buckingham und Mr Smith beantworteten. Es war das leiseste Chaos, das ich je erlebt hatte, also saß ich nur da und versuchte, meinen müden Verstand davon abzuhalten, zu weit in den leeren Gang zu driften, um nach Macey zu suchen.

Im Stockwerk unter uns versammelten sich Mädchen, um ihr Samstags-Frühstück einzunehmen. Und in den Zimmern verschlief wahrscheinlich die Hälfte der zweitletzten Klasse. Die Nachricht über Macey hatte sich noch nicht verbreitet, aber es würde geschehen … Und ich wusste, dass die Leute im Büro meiner Mutter dafür sorgen müssten, dass sich die Verbreitung in Grenzen hielt. Vielleicht sah mich Mr Solomon deshalb an, als wären wir die Einzigen im Raum, nein, in der Schule. Seine

Welt fiel nicht zusammen. Er würde sie zusammenhalten. Ich könnte sie zusammenhalten. *Ich* müsste nur …

»Erzählen Sie mir *alles*, Miss Morgan!«

»Ich hab sie gestern Nacht zum letzten Mal gesehen.«

»*Alles!*«

»Um zwanzig Uhr siebenundvierzig waren wir in der Stadt … beim Football-Spiel«, gestand ich und erwartete, angebrüllt zu werden, oder dass er zumindest verwirrt wirkte. Aber Joe Solomon ist nicht umsonst einer der besten Geheimagenten der Welt, also nickte er nur und forderte mich zum Weiterreden auf. »Und wir haben Zach gesehen.«

Vielleicht war es meine hyperaktive Fantasie, aber ich hätte schwören können, dass Mr Solomon zwinkerte. Ich dachte an das Treffen zwischen ihm und Zach im Tunnel in Philadelphia. Ein Dutzend Fragen fielen mir ein, aber sosehr ich mir auch Antworten darauf wünschte – dass Macey zurückkäme, wünschte ich mir noch mehr. Deshalb fragte ich: »Wollen Sie das Ganze wortwörtlich?«

Er schien das Angebot zu schätzen, schüttelte aber den Kopf.

»Zach und ich redeten vom Cavan-Zirkel. Ich hab die Sache nämlich herausgefunden. Die Sache mit dem Ring und dem Schwert.«

Er lächelte. »Das habe ich mir gedacht. Weiter!«

»Macey hat zufällig mitgehört. Sie wusste nicht, dass sie mit Gilly verwandt ist. Sie fragte, ob sie deshalb in der Schule aufgenommen worden ist. Bis zu diesem Moment hatte sie nichts davon geahnt, also lief sie davon. Es war laut und ziemlich voll, weshalb ich sie aus den Augen verlor.« Ich konnte Mr Solomon nicht mehr ansehen. »Angeblich bin ich eine Straßenkünstlerin. Und trotzdem hab ich sie verloren.«

»Das tut sie doch immer, Miss Morgan.« Er schaute mir ins Gesicht, aber er hatte sich irgendwie verändert. »Davonlaufen, meine ich. Sie hat immer dafür gesorgt, dass sie wegen irgendeiner Sache von der Schule flog. Das ist jetzt allerdings nicht mehr möglich, also hat sie das Ganze in die eigenen Hände genommen. Verstehen Sie, was ich damit sagen will, Miss Morgan?«

Leider war das nicht der Fall.

»Manchmal laufen Menschen davon, um herauszufinden, ob ihnen jemand folgt.«

Ich hatte Mr Solomon seit über einem Jahr an jedem Schultag gesehen, aber ich werde ihn wohl nie wirklich kennen. Manchmal ist er einer der stärksten Menschen, die mir je begegnet sind, und dann gibt es aber auch Momente wie diesen. Dann glaube ich, dass tief in seinem Innern etwas zerbrochen ist, das niemals heilen wird.

Danach – einfach so – wurde er wieder mein Lehrer. »Fehlt irgendwas in Ihrem Zimmer?«

Ich überlegte, schloss die Augen und stellte mir alles vor. »Ihr Pass.«

»Keine Kleidung? Kein Geld?«

»Sie hat vierzehn verschiedene Kreditkarten und kennt alle Nummern auswendig.«

Es schien, als ob er lächeln oder sogar lachen wollte. »Außerdem hat sie zurzeit das berühmteste Gesicht im Land, Miss Morgan«, sagte er und klang überhaupt nicht besorgt. »Ich glaube, wir werden sie finden.« Dann sah er meine Miene, und das Lächeln verschwand. »Was ist?«

»Also«, begann ich langsam. »Wir hatten doch mal eine Stunde, in der wir uns verkleiden mussten – wissen Sie noch?«

Es war nicht die Zeit für Geschrei. Und es war auch nicht der richtige Ort für Auseinandersetzungen zwischen Mutter und Tochter. Während unsere Lehrer sich um uns scharten, zählte ich die Sachen auf, die Macey mitgenommen hatte. Am Ende schüttelte meine Mutter den Kopf und griff nach dem Telefon. Leider ließ sich Tante Abby nicht so leicht ablenken.

»Ich weiß, was ich getan habe«, sagte ich, bevor meine Tante ein Wort herausbrachte.

»Wirklich?« Ihr Blick war ganz anders als sonst, intensiver. Sie war nicht einfach nur Tante Abby. Sie war auch mehr als Maceys Bodyguard. Für den Bruchteil einer Sekunde war sie die Frau im Zug. Und dann – genauso schnell – war diese Frau wieder verschwunden. »Du bist allein in die Stadt und … und am nächsten Dienstag müssen wir Macey vorzeigen, und wenn das nicht geht, werden sich sämtliche Agenten des Geheimdienstes und das halbe FBI auf unser Haus stürzen, und selbst deine Mutter wird sie wahrscheinlich nicht aufhalten können. Sie werden Teppiche hochreißen und Türen einschlagen, bis sie jeden Schritt von Macey nachvollziehen können, und am Ende geht es mir an den Kragen. Und in der Zwischenzeit ist sie …« Tante Abby legte eine Hand auf ihre Hüfte, und zum ersten Mal sah ich ein Halfter. Und wo ein Halfter ist, ist natürlich auch eine Pistole. »… da draußen. Weiß der Himmel wo!«

»New York!«, schrie Mrs Buckingham und legte den Telefonhörer krachend auf. »Eine junge Frau, die zu Maceys Beschreibung passt, hat gestern Abend einen Busfahrschein nach New York gelöst. Und jemand hat über das Geschäftskonto von Maceys Mutter einen Privatjet in die Schweiz gebucht.«

Tante Abby schaute mich an. »Ihre Familie hat dort ein Haus«, sagte ich. »Es passt.«

Mom fragte Mrs Buckingham: »Haben wir Ehemalige in der Schweiz?«

»Natürlich«, war ihre Antwort.

»Sie sollen sich auf sie setzen, bis wir ein Team haben, das sie schnappt.« Mrs Buckingham wandte sich zum Gehen, aber Mom rief ihr nach: »Patricia – sag ihnen, sie ist ein hartes Stück Arbeit. Sag ihnen, sie ist eine von uns!«

Ich hätte alles dafür gegeben, dass Macey sie hätte hören können. Vielleicht hätte sie mir dann geglaubt. Vielleicht wäre sie nicht weggelaufen. Vielleicht wäre dann alles anders. Aber Macey hatte meine Mutter nicht gehört, und *da* lag das Problem. Sie war von uns weit entfernt. Ganz allein. Und der sorgenvolle Blick meiner Mutter verriet mir, dass wir bestimmt nicht die Einzigen waren, die sie suchten.

Als Tante Abby zur Tür lief, stürmten Bex, Liz und ich hinter ihr her.

»Wann fahren wir los?«, fragte Bex.

»*Wir* fahren nirgends hin«, kam es bissig von Tante Abby. Durch das Fenster konnte ich sehen, dass sich die Rotoren eines Hubschraubers, der auf sie wartete, bereits drehten. Sie rannte zur Treppe, blieb dann aber plötzlich stehen. »Sie ist okay.« Sekundenlang war Tante Abby wieder ganz sie selbst, als sie mit einem Hüftschwung hinzufügte: »Das könnt ihr mir glauben.«

Ich weiß natürlich, dass jeder Tag – rein wissenschaftlich betrachtet – vierundzwanzig Stunden hat. Das sind eintausendvierhundertvierzig Minuten. Oder sechsundachtzigtausendvierhundert Sekunden. Aber selbst Liz gab zu, dass die folgenden Tage länger zu sein schienen. Wir schauten aus jedem Fenster, an dem wir vorbeigingen, und erwarteten, dass sich das Tor öffnete und Tante Abby mit Macey die Auffahrt entlangfuhr.

Aber das Tor blieb geschlossen. Die Straße blieb leer. Und Macey blieb weg.

Am Montagabend tauchte ein Gefühl auf, das wie ein Virus war, der jahrelang in mir geschlummert hatte. Ich dachte an die Zeit, in der meine Eltern ständig für einige Tage oder Wochen verreist waren. Später erfuhr ich, dass mein Vater nie mehr zurückkehren würde. Als ich die Treppe zum Abendessen hinunterging, wurde ich den Gedanken nicht los, dass ich zwar super im Verschwinden bin, Macey aber auf eine ganz andere Art *weg* sein konnte.

»Upps, sorry!«, sagte jemand, als ich gerade aufblickte und Tina Walters die Treppe hochjagen sah. Das Schild über der großen Halle verkündete, dass wir an diesem Abend Portugiesisch sprechen mussten. Der Duft, der durch das Foyer waberte, ließ auf Lasagne schließen. Aber so, wie Tina zu mir schaute, war klar, dass keiner aus der zweitletzten Klasse besonders hungrig war.

»Alles okay, Cam?«, fragte sie, und ich nickte, aber aus irgendeinem Grund brachte ich es nicht fertig, ihr Platz zu machen.

»Tina, hast du …«, begann ich und brach meine Rede wieder ab, weil ich selbst nicht glauben konnte, was ich sie fragen wollte. »Haben deine Quellen etwas rausgekriegt?«

Ich wollte, dass sie mir sagte, Macey sei okay. Ich wäre mit einer verrückten Geschichte über ein Mädchen zufrieden gewesen, das auf Maceys Beschreibung passte und einen Ex-Auftragskiller des KGB in Bukarest observiert hatte. Mir wäre alles recht gewesen, nur nicht eine Tina, die den Kopf schüttelte und sagte: »Nein, kein Wort.«

Sie lächelte mitfühlend. »Aber keine Nachricht ist manchmal eine gute Nachricht, hab ich recht? Alle suchen Macey.«

Aber als ich einen Blick in den Geschichtssaal warf, konnte ich nur auf das Schwert schauen, das immer noch in seinem Fach glänzte – eine scharfe Klinge, die Zeit und Raum zerteilte. »Das befürchte ich.«

Ich bin eine Expertin, was das Verstecken betrifft. Das ist keine Angabe, es stimmt einfach, und während ich so dasaß und auf meinen Teller starrte, wurde mir plötzlich klar, dass etwas an Maceys Verschwinden keinen Sinn ergab.

»Beide Tarnungen«, sagte ich.

»Was?«, fragte Bex und rückte näher.

»Beide Tarn-Outfits waren verschwunden, als wir zurückkamen – meins und ihres.«

Bex grinste mich an. »Denkst du, was ich denke?«, fragte sie, und im nächsten Moment rasten wir auch schon die Treppe hinauf, Liz mit deutlichem Abstand hinterher.

Der Geschichtssaal war nur spärlich beleuchtet. Die Tür zum Büro meiner Mutter war zu, aber ich bremste mich erst, als Madame Dabney aus dem Nichts auftauchte und mir den Weg versperrte.

»Ich möchte mit meiner Mutter sprechen«, sagte ich schnell.

»Oh, Cammie, meine Liebe, ich fürchte, Ihre Mutter ist nicht da.«

»Aber ich muss sie sehen!«

»Das glaube ich Ihnen gern, aber aufgrund der gegebenen Umstände ist die Schulleiterin zum Senator und zu

Mrs McHenry gefahren, um zu erklären, warum ihre Tochter die Wahlkampfparty morgen Abend vielleicht … erst später besucht. Das heißt, wenn wir sie noch rechtzeitig aus der Schweiz zurückholen können«, fügte sie hinzu, als Bex und ich schon wieder losstürmen wollten.

»Aber Macey ist nicht in der Schweiz!«, sprudelte es gleichzeitig aus uns beiden heraus.

»Warum sagen Sie so etwas? Was wissen Sie?«

»Also …« Bex, Liz und ich schauten uns an. »Weil sie beide Tarnungen mitgenommen hat. Und sie wird seit drei Tagen gesucht. Ich glaube, sie ist nicht gefunden worden, weil sie nicht dort ist.«

»Cameron, meine Liebe, ich verstehe ja, dass Sie besorgt sind, aber ein Mädchen, das zur Beschreibung von Macey passt, ist mit einem Privatflugzeug in die Schweiz –«

»Aber –«, fing ich wieder an, doch Madame Dabney ließ mich nicht ausreden.

»Die Daten ihres Passes sind am Ziel durchgegeben worden. Sie ist dort, meine Damen.« Madame Dabney tätschelte meinen Arm. »Sie ist dort. Und ich möchte nicht, dass Sie sich Sorgen machen. Wir werden sie finden.«

Auf dem Weg zu unserem Zimmer musste ich unwillkürlich daran denken, dass es Macey entweder verdiente, Gallagher Girl genannt zu werden, oder nicht, dass sie entweder gut genug war, oder nicht. Beides war nicht möglich, egal, was unsere Lehrer dachten.

Ich schloss die Tür und sah Bex an. »Was würdest du tun, wenn du Macey wärst?«

»Als Erstes würde ich mich vom Raster fernhalten«, erwiderte Bex, und ich nickte. »Kreditkarten und Pässe sind was für

Anfänger. Macey ist keine Anfängerin, egal in welche Klasse sie geht.«

Bex bedeutete mir, dass ich jetzt an der Reihe war, die Frage zu beantworten. »Wenn ich das bekannteste Gesicht im Land wäre und zwei Outfits zum Tarnen hätte, würde ich auf keinen Fall nach Europa reisen, ohne mich zu verkleiden.«

Bex nickte, und ich sah Liz an, die mit den Achseln zuckte.

»Ich bin eine Fachidiotin«, gab sie zu. »Mit Geheimoperationen kenne ich mich nicht aus.«

»Du kennst Macey«, sagte Bex leise. Seit Langem hatte keiner von uns so etwas Wahres von sich gegeben.

Liz setzte sich aufs Bett. Es war ihr deutlich anzusehen, wie sie in der riesigen Datenbank in ihrem Kopf wühlte, aber dort keine Antwort fand – sie war in ihrem Herzen. Am Ende holte sie tief Luft und meinte: »Ich würde wahrscheinlich an einen sicheren Ort gehen.«

Im Haus war es still. Ich lehnte mich an das zugige Fenster und spürte, wie die Puzzle-Teilchen durch meine Gedanken sausten, bis mir klar wurde, dass sie nicht ganz zusammenpassten. Ich dachte an Liz' Worte und an Maceys bleiches, gespenstisches Gesicht, als wir im viel zu grellen Licht des Football-Platzes standen. Kühle Luft streifte meine Arme – ich hatte vor Augen, wie unsere Mitbewohnerin in der Kälte zitterte. Dann … wusste ich Bescheid.

»Hol die Autoschlüssel, Liz!«, forderte ich sie auf und ging an meinen Schrank.

Bex war schon bereit – wofür, spielte keine Rolle. Aber Liz sah mich fragend an.

»Wo fahren wir hin?«

»Wir holen unsere Schwester nach Hause.«

Kapitel Sechsundzwanzig

Ich glaube, in der Geschichte der Gallagher Akademie für außergewöhnliche junge Frauen ist bisher noch nie ein Mädchen weggelaufen, aber seit dem Wochenende und bis zu diesem Dienstagmorgen waren es schon insgesamt vier.

Während Liz schlief, fuhr Bex, und ich saß auf dem Beifahrersitz des Dodge und machte mir Sorgen, dass wir unser Ziel nicht finden würden. Am Ende des Sommers war der Wald mit all seinen Laubbäumen überwuchert gewesen und Unkraut und hohe Gräser hatten die schmalen Straßen gesäumt. Aber im November lagen die Felder brach, die Bäume hatten keine Blätter mehr, und im fahlen Licht der Dämmerung schien die Welt eine Fata Morgana oder vielleicht nur eine hervorragende Tarnung zu sein. Ich musste unwillkürlich daran denken, dass ich beim letzten Mal trotz meiner Gerissenheit als Spionin eine Gehirnerschütterung hatte.

Bex fuhr langsam auf einer Asphaltstraße entlang, bis ich einen Kiesweg entdeckte und sagte: »Hier abbiegen.«

»Was ist das? Eine Art Unterschlupf?«, fragte Bex, als wir

mit zusammengekniffenen Augen in das schwache Licht und den dichten Wald blickten und ich an die Worte meines Geh-Op-Lehrers denken musste.

»Das will ich hoffen«, erwiderte ich, als Bex anhielt. »Er gehört Mr Solomon.«

Observierungsbericht

Die Agentinnen Morgan, Baxter und Sutton beschlossen, zu Fuß weiterzugehen, da der Eigentümer des Grundstücks ein hochqualifizierter Sicherheitsprofi (und außerdem supersexy) war.

Während wir uns einen Weg durch den Wald bahnten, hielt ich nach etwas Vertrautem Ausschau. Das Dach der Hütte war zwischen den Bäumen gerade noch sichtbar, aber aus dem Kamin kam kein Rauch – kein Lebenszeichen – und Hunderte Zweifel nagten an mir: Was, wenn ich mich getäuscht hatte, und Macey nicht hierher geflüchtet war? Was, wenn wir zu spät kamen? Also stellte ich eine Frage, die mir am wenigsten Angst machte: »Was, wenn es nicht das richtige Haus ist?«

Als ich zum nächsten Schritt ansetzte, packte Bex' Hand meinen Unterarm, und ich erstarrte. Ich musste nicht nach unten schauen, um zu wissen, dass mein rechter Fuß nur wenige Zentimeter von einem dünnen Draht entfernt war, der zweifellos einen stummen Alarm auslöste. Und ich brauchte nicht Bex' Antwort »Es ist das richtige Haus« zu hören, um zu wissen, dass es stimmte.

Unter idealen Bedingungen einer Geheimoperation würde ein Top-Agent jetzt langsamer vorgehen. Die Situation überprüfen. Und einen vorsichtigen Kurs einschlagen oder alles neu planen. Aber zu den idealen Bedingungen von Geheimoperationen gehört nur selten Liz.

»Hey, was macht ihr –«, fing sie an, und im nächsten Moment knallte sie mit einem Felsbrocken zusammen und schrie: »Upps!«

Sie flog mit dem Kopf voran über den Stolperdraht neben meinem Fuß und landete auf einem Blätterhaufen. Bex und ich griffen nach ihr, aber es war schon zu spät: Die Schwerkraft siegte und Liz rutschte einen Hügel hinunter, kullerte durch Büsche und sauste so präzise zwischen zwei Infrarot-Bewegungsmeldern hindurch, wie wir es nie im Leben wiederholen könnten.

»Sie wird gegen den –«, begann Bex einen Satz, den sie nicht beenden konnte, weil Liz es schaffte, plötzlich die Richtung zu wechseln und durch Brombeergestrüpp zu pflügen, anstatt gegen einen umgestürzten Baumstamm zu prallen.

»Liz!«, brüllte ich und rannte hinter ihr her, bis der Boden zu steil und die Blätter zu feucht waren. Meine Füße rutschten unter mir weg. Hinter mir hörte ich Bex, die auch den Halt verlor, nach Luft schnappen.

Zweige peitschten mein Gesicht. Meine Hände versanken im Schlamm, und immer noch stürzte ich, mich überschlagend, schneller und schneller in die Tiefe. Im Kopf hörte ich schon die Sirenen – ein Team der Spezialeinheit bereits unterwegs.

Und dann – endlich – war mit dem Stürzen Schluss. Ich saß auf der Erde, von oben bis unten mit Schlamm und faulen Blättern bedeckt. Ich spürte nur meinen Atem und das Gewicht von Bex, die auf mir landete. Es gelang mir, den Schlamm aus den Augen zu wischen, als zwei unglaublich lange Beine vor uns auftauchten und Macey McHenry sagte: »Ihr kommt aber spät.«

Die Agentinnen beschlossen, die seltene Gelegenheit zu nutzen, Wochenendhäuser von hochqualifizierten Sicherheitsprofis observieren zu können, wobei sie Folgendes entdeckten:

- eine Schachtel mit Ködern, Angelruten und Haken, die bei illegalen Verhörtaktiken SEHR nützlich sein können. (Aber eine nähere Betrachtung ergab, dass sie wohl eher beim Fischen eingesetzt werden.)
- vier einfache weiße T-Shirts
- sechs Paar Socken
- ein Schweizer Messer (das tatsächlich von der Schweizer Armee zu stammen schien)
- siebenundvierzig Landkarten in sechzehn Sprachen
- null Liebesbriefe, Fotos oder Notizbücher mit Kritzeleien auf dem Einband
- den umfangreichsten Erste-Hilfe-Kasten, der jemals von Menschenhand zusammengestellt worden ist.

»Katzenfutter!«, schrie Liz, als sie in einen Schrank schaute. Ich hörte, wie sie es schnell notierte. Dann fragte sie: »Was *das* wohl zu bedeuten hat?«

Ich merkte, dass Bex und Liz herumwuselten, um jedes Detail im Raum zu erkunden. Sie staunten, dass die Vorhänge selbst genäht und die Fenster nicht kugelsicher waren. Aber ich stand neben dem schmalen Bett, starrte auf die Patchwork-Decke und erinnerte mich an alles, was Mr Solomon mir hier gesagt hatte. Dabei wusste ich, dass in der kleinen Hütte keine

Antworten zu finden waren. Egal, wie eifrig Liz auch suchte, sie würde ganz sicher keine Kristallkugel entdecken.

Macey war neben mir. Wir betrachteten unser Spiegelbild in der Fensterscheibe und schauten auf den See. Ich musste unwillkürlich daran denken, wie lang es damals gedauert hatte, den Bootssteg zu verlassen.

Vielleicht hatte Liz ja recht gehabt, und Macey hatte einen sicheren Ort gesucht. Vielleicht wusste Mr Solomon tatsächlich, dass Weglaufen für Macey der einzige Weg war, um herauszufinden, ob wir ihr *hinterher*laufen würden. Oder vielleicht wollte sie einfach nur für eine Weile verschwinden.

Was aber nichts daran änderte, dass wir sie schließlich gefunden hatten.

Und wir waren nicht die Einzigen, die sie gesucht hatten.

Als wir ins Freie traten, quietschte die Fliegengittertür. Nach fast drei Monaten hatten wir den Weg zurück gefunden, und jetzt musste ich herausbekommen, ob Macey immer noch das Mädchen am See war.

»Macey«, fing ich an, aber bevor ich wieder Luft holen konnte, hatte sie meine Gedanken gelesen.

»Ich weiß, dass wir nicht bleiben können.«

Häuser an Seen, über deren Oberfläche man flache Steine um die Wette übers Wasser hüpfen lassen kann (wobei Bex übrigens die überlegene Siegerin war), die zwischen Bäumen mit fallenden Blättern stehen und den Schutz der CIA genießen, sind von Natur aus sicher. Aber jeder Spion weiß auch, dass sich die Dinge ändern. Immer. Und das Auto wartete.

»Wir können zur Schule zurückfahren, oder du kannst mit deinen Eltern zur Party gehen, aber …« Ich suchte nach den Worten, die mir Angst machten.

»War ich so leicht zu finden?«, fragte Macey.

»Nein«, sagte ich, und zum ersten Mal sah sie mich an. »Wir haben dich gefunden, weil du viel zu gut bist, als dass du dich schon nach einem einzigen Anruf aufspüren lässt.«

Ich setzte mich ans Stegende. »Außerdem hast du beide Tarnungen mitgenommen. Mit der einen kannst du dich total verändern.« Ich dachte an die glänzende schwarze Perücke, die ich getragen hatte. »Mit der anderen kann eine Unbekannte aussehen wie du.«

»Ab da war uns klar, dass du einem armen, ahnungslosen Mädchen einen Freiflug nach Europa verschafft hast und die Pässe mit ihr tauschen konntest«, fügte Bex hinzu, die mit Liz hinter uns aufgetaucht war.

»Deshalb habt ihr also erraten –«, sagte Macey.

»*Gewusst*«, korrigierte sie Liz, die eine volle Anerkennung ihrer Bemühungen erwartete.

»Ihr habt also *gewusst*«, fuhr Macey fort, »dass ich nicht in der Schweiz war. Aber wie habt ihr mich gefunden?«

Ich schaute auf den See und dachte an einen Tag, der noch nicht allzu lange zurücklag. »*Ich* wäre hierhergekommen«, sagte ich und merkte erst jetzt, dass es stimmte.

»Ich auch«, fügte Bex hinzu.

Wir alle sahen Liz an, die nickte. »Richtig.«

Macey lachte hell und klar auf – ich hätte schwören können, dass es im Wasser Wellen schlug. »Suchen sie mich echt noch in der Schweiz?«

»Inzwischen haben sie das Raster erweitert und sind in halb Nordeuropa zugange«, antwortete Bex grinsend.

»Glaubst du immer noch, dass sie dich nur wegen deiner Familie an der Schule aufgenommen haben?«, fragte ich.

»Ja.« Maceys Antwort schockierte mich. Ich wollte aufstehen. Das raue Holz des Steges tat mir an den Händen weh, die viel zu viel meines Gewichtes stützen mussten. Aber jetzt konnte ich mich nicht mehr rühren.

Macey lächelte. Sie hob eine Augenbraue und sagte: »Meine Familie ist aber nicht der Grund, weshalb die Akademie mich behält.«

Von allen Prüfungen, die Macey im letzten Jahr hatte bestehen müssen, war diese ganz sicher die schwerste.

»Außerdem«, fügte sie hinzu und klimperte zum Spaß mit den Wimpern, »ist mein Vater ja vielleicht der zweitmächtigste Mann im Land.«

»Nicht mehr lang«, murmelte Liz.

»Warum?«, fragte ich und sah sie an.

»Weil die Wahllokale seit zwei Stunden geöffnet sind.«

Spione können sich hervorragend verstellen, also taten wir so, als wäre der schlimmste Teil vorbei. Wir gaben vor, dass alles okay sein würde. Wir ließen die Autofenster runter, sangen aus voller Kehle, versuchten, nicht daran zu denken, weshalb wir immer wieder plötzlich anhalten und ohne zu blinken abbiegen mussten, und wandten noch viele andere Gegenspionage-Taktiken an, die auf richtig schlechte Fahrer und echt gute Spione schließen lassen.

Aber egal, wie gut wir die Gegenspionage per Auto beherrschten – mir war klar, dass es mindestens eine gefährliche Begegnung gab, vor der wir nicht davonbrausen konnten.

»Wir haben sie.«

An der Raststätte war es laut – der Lärm von Dieselmotoren und das Geklapper von Tellern und Besteck, die von klebrigen

Tischen geräumt wurden –, und einen Moment lang befürchtete ich, dass meine Mutter mich nicht verstanden hatte: »Ich hab gesagt, wir haben –«

»Ja, Patricia«, erwiderte Mom gedehnt, und zuerst wollte ich sie korrigieren. Ich wollte ihr sagen, dass sie sich verhört hatte, und zwar richtig schlimm. Aber dann redete meine Mutter weiter. »*Sehr schön*, von dir zu hören. Ich habe mich schon gefragt, *wo du jetzt bist*, Patricia!« Da wusste ich, dass jemand in ihrer Nähe war.

»Wir sind auf dem Weg zu dir«, sagte ich, weil ich am Telefon nicht so viel erzählen wollte. »Mom, es tut mir leid, dass wir abgehauen sind.« Mit jedem Atemzug redete ich schneller. »Wir wollten es Madame Dabney sagen, aber alle waren damit beschäftigt, in der Schweiz zu suchen. Ich hatte aber so ein Bauchgefühl, dass sie da nicht ist und –«

»Natürlich ist hier alles für dich bereit. Wenn Macey ihren Biologietest bestanden hat und mit allem fertig ist, sollte der Geheimdienst sie nach Washington bringen, damit sie *sobald wie möglich* bei ihren Eltern sein kann.«

Ich machte ein paar Schritte auf dem schmalen Gang, weg vom rappelvollen Restaurant, zog die fettige Schnur des Telefons so weit wie möglich, und sagte: »Sie wissen nicht, dass sie weggelaufen ist, oder?«

»Natürlich nicht«, entgegnete Mom, die Superspionin. »Das wäre viel zu viel Mühe.«

Ich dachte an den Senator und Mrs McHenry und musste lächeln.

»Wie sauer sind sie, dass sie nicht in Washington ist?«

»Ich habe mich um alles gekümmert«, antwortete Mom. Ihre Stimme klang immer noch ruhig und heiter.

Aus einem Fernseher dröhnten Nachrichten. Auf dem Bildschirm war eine Landkarte der Vereinigten Staaten zu sehen, die bald in rote und blaue Staaten aufgeteilt werden würde. In Amerika wurde gewählt, aber ein Wahlkreis fehlte noch, auf den es ankam, und ironischerweise war es derjenige, den die McHenrys schon vor langer Zeit verloren hatten.

»Cam!«, brüllte Bex. »Es wird Zeit!«

»Mom«, ich musste es dringend aussprechen, »ich hab dich lieb.«

Es entstand eine lange Pause. Einen Augenblick dachte ich, wir wären unterbrochen worden.

»Ich habe genau den gleichen Gedanken. Und Patricia ...«, die Stimme meiner Mutter wurde leiser, »... beeil dich. Und *sei vorsichtig!*«

Ich hätte noch hundert andere Dinge sagen können, aber das Münztelefon war nicht sicher (und schon gar nicht hygienisch). Außerdem warteten meine Freundinnen und unsere Mission.

Die Agentinnen begannen mit ihren Vorbereitungen, um auf feindlichem Gebiet (auch »Offizielle Winters-McHenry-Wahlparty« genannt) verdeckt zu ermitteln.
Die Agentinnen Sutton und Baxter waren von der Idee begeistert, als sie erfuhren, dass dies mit dem Einkauf neuer Klamotten verbunden war.
Leider durften diese Sachen laut Agentin McHenry weder superschick noch bequem sein, um sich dem Umfeld anzupassen.

Washington, D.C., war mein allererstes Zuhause gewesen, aber an diesem Abend kamen mir die Straßen fremd vor. Vielleicht lag es am Auto, das ich fuhr (Dodge-Minivans mit hypermodernen Motoren sind schließlich nichts Alltägliches), oder es lag daran, dass das berühmteste Mädchen des Landes mit einer roten Perücke auf dem Kopf auf dem Rücksitz saß – jedenfalls fühlte ich mich ganz und gar nicht unsichtbar, als wir Straßen entlangfuhren, an deren Rändern sich Kleinbusse verschiedener Nachrichtensender und Barrikaden des Geheimdienstes reihten.

Während wir uns zu Fuß dem Hotel näherten, kamen wir an Fernsehreportern vorbei, die für alle Sender des Landes live berichteten. Unwillkürlich musste ich an Boston denken. Neben mir zitterte Macey, und ich wusste, ich war nicht die Einzige, der es so ging.

Ich fing an, mir Gedanken darüber zu machen, wie wir jemanden beschwatzen oder uns ins Hotel schleichen könnten (Macey konnte schließlich nicht ohne Personenschutz auftauchen!), als eine vertraute Stimme den Lärm übertönte. »Cameron!«

Die Agentinnen erinnerten sich, dass mögliche Kidnapper nicht immer so beängstigend sind wie Top-Agentinnen Schrägstrich Mütter Schrägstrich Schulleiterinnen, die zufällig wissen, dass man sich unerlaubt vom Schulgelände entfernt hat.

»Cammie!«, rief meine Mutter wieder und lief uns entgegen.

»Mom, ich –«, fing ich an, wollte alles erklären, mich entschuldigen und sie um Verzeihung oder Gnade anflehen, aber ich kam nicht dazu, weil wir im nächsten Augenblick von Geheimdienstagenten umringt wurden. Ich sah den Stöpsel im Ohr meiner Mutter und stellte fest, dass alle Agenten Frauen waren. Eine von ihnen zwinkerte mir zu, und ich fragte mich kurz, ob Tante Abby vielleicht doch nicht das einzige Gallagher Girl war, das einen Sonderauftrag übernommen hatte.

Aber meine Mutter zwinkerte nicht. Und sie lächelte auch nicht. Stattdessen packte sie mich am Arm und steuerte auf das Gebäude zu.

Eben passiert etwas, dachte ich. *Etwas stimmt nicht.* Es gab Hunderte Fragen, die ich stellen wollte, aber ich hatte dafür keine Zeit – und erst recht keine Luft –, weil sich ein Notausgang öffnete und meine Freundinnen und ich ins Gebäude geschoben wurden.

Wir gingen schmale Korridore entlang, und als wir hinter den Kulissen der Party an Stapeln von Winters-McHenry-Schildern und Imbisswagen vorbeikamen, hatte ich ein heftiges Déjà-vu-Erlebnis, bis wir schließlich in einem Raum voller Spiegel mit vergoldeten Rahmen und mit Seide überzogenen Wänden landeten. Er erinnerte mich an Madame Dabneys Teezimmer, und mir wurde klar, dass unsere Schule uns in den vergangenen viereinhalb Jahren auf genau diesen Augenblick vorbereitet hatte.

Ein normales Mädchen hätte die kunstvoll verzierten Decken angeschaut und sich gefragt, ob in so einem schönen Raum jemals etwas Schlimmes passieren könnte. Aber wir sind Gallagher Girls. Wir wissen es besser.

»Macey«, sagte Mom zu meiner Freundin, ohne mich eines Blickes zu würdigen. »Geh mit diesen Agentinnen! Deine Eltern erwarten dich.«

Aber Macey rührte sich nicht vom Fleck, und mir fiel ein, dass sie in diese Welt hineingeboren worden war. Die Welt, die *sie* sich ausgesucht hatte, war eine Hütte am See.

»Na, geh schon, Liebes!«, drängte meine Mutter.

In diesem Moment kam der Gouverneur Winters an uns vorbei – und ich erkannte, dass wir uns an einem der sichersten Orte des Landes befanden. Trotzdem hing etwas in der Luft, als Mom noch sagte: »Ich muss mit Cammie reden –«

Ich weiß nicht, was meine Mutter mir verraten wollte, aber sie kam nicht dazu, weil im nächsten Moment der Schrei »Da bist du ja!« durch den Raum hallte. Die Wahllokale waren inzwischen zu, weshalb Cynthia McHenry wahrscheinlich nicht zögerte, ihre Tochter anzufahren. »Was hast du denn da auf dem Kopf?«

Macey hob die Hände, wie wenn sie die rote Perücke vergessen hätte.

»Das Protokoll, Madam«, meinte eine der Agentinnen an Maceys Seite. »Wir hielten es für das Beste, Ihre Tochter zu verkleiden, als wir sie aus der Schule holten.«

»Jetzt ist sie an einem sicheren Ort«, sagte Maceys Mutter und durchquerte den Ballsaal, der immer voller wurde. »Kommst du nun, oder nicht?« Sie drehte uns allen den Rücken zu. Macey schaute uns an, als würde sie um Unterstützung bitten, aber für uns war klar, dass sie allein weitergehen musste.

Sie ging los. Ich war zu sehr damit beschäftigt, den sorgenvollen Blick meiner Mutter zu deuten, sodass ich meine Freundin kaum dabei beobachtete, wie sie sich entfernte.

»Cam, wir müssen –«, fing Mom an, wieder kam sie nicht dazu, ihren Satz zu beenden.

»Mrs Morgan!«, giftete Cynthia McHenry. »Kommen Sie bitte mit!« Mom hätte Nein sagen können. Sie hätte einfach weggehen können.

Stattdessen meinte sie: »*Warte hier!*« Sie war eben nicht nur meine Mutter und Schulleiterin, sondern auch ein Gallagher Girl und würde bis zum Ende an ihrer Tarnung festhalten.

VOR- UND NACHTEILE, WENN DU ALS UNGEBETENER GAST AUF EINER WAHLPARTY ERSCHEINST:

VORTEIL: Mitglieder des Geheimdienstes und der Medien sind überall, weshalb deine Mutter dich nicht anschreien kann, weil du weggelaufen bist.

NACHTEIL: Du weißt, dass sie dich irgendwann doch noch anschreien wird, und je länger sich ihre Wut anstaut, desto schlimmer.

VORTEIL: Die Leute, die zwei Jahre lang das Schlafen, Essen und jede Art von normalem Leben (und/oder große Mengen Geld) aufgegeben haben, um jemanden zum Präsidenten zu machen, sparen echt nicht an den Riesengarnelen für das Buffet.

NACHTEIL: Die Leute, die genauso lang im Wahlkampf mitgearbeitet und aus Koffern in Bussen und Zügen gelebt haben, neigen auch dazu, ihre Körperpflege (und erst recht ihre Achtung vor Privatsphäre) ein bisschen – sagen wir mal – zu vernachlässigen.

VORTEIL: Wie sich herausstellt, werden solche Wahlpartys mit Bands gefeiert!

NACHTEIL: Die Bands spielen den gleichen Song, den sie auch vorher schon bei Wahlveranstaltungen gespielt haben, immer und immer und immer wieder.

Spione verbringen eine Menge Zeit mit Warten. Ich weiß, es klingt verrückt, aber es stimmt. Und als ich an dem Abend in dem großen Ballsaal stand und die Luftballons zählte, die in Netzen unter der Decke hingen (übrigens mindestens 7.345), musste ich unwillkürlich daran denken, dass wir gerade das beste GehOp-Training aller Zeiten erlebten.

Bex unterhielt sich einen Großteil des Abends mit einem Manager der Ölindustrie, der sich, wie wir später erfuhren, des Insiderhandels schuldig machte (ein paar Tage später hackten wir uns übrigens in die Börsenaufsichtsbehörde und hinterließen einen anonymen Hinweis). Liz benutzte ihr fotografisches Gedächtnis, um ihre Ausgabe von *Fortgeschrittene Verschlüsselung und Du* noch einmal durchzulesen und sich auf eine wichtige Prüfung in Mr Mosckowitz' Klasse vorzubereiten.

Und *ich* hatte die ganze Zeit den Blick meiner Mutter vor Augen, als Cynthia McHenry sie wegzog, und sagte leise: »Da stimmt irgendwas nicht.«

»Cammie.« Eine Stimme unterbrach meine sorgenvollen Gedanken. Ich drehte mich um. »Hey, ich hab mir doch gleich gedacht, dass du das bist«, sagte Preston und kam auf uns zu.

Bex musterte ihn von oben bis unten. Liz fummelte an ihrem Top herum. Vorne im Raum bat ein Mann um Ruhe und ließ einen Fernseher auf volle Lautstärke aufdrehen, während ein Nachrichtensprecher bestätigte: »Ja, es ist amtlich. Gouverneur Winters und Senator McHenry gewinnen in Ohio!«

Im Ballsaal brach gewaltiger Jubel aus. Die Leute hoben ihre Gläser, um dem Rosskastanien-Staat zuzuprosten, aber meine Gedanken drifteten zurück zu dem schattigen Platz unter der Tribüne an einem sonnigen Tag.

»Seid ihr auch mit Macey befreundet?«, wandte sich Preston an Bex und Liz. Ich konnte regelrecht spüren, wie meine Noten in *Kultur und Anpassung* abstürzten.

»Oh, tut mir leid«, beeilte ich mich. »Preston Winters, das ist Rebecca.«

»Bex«, verbesserte sie mich mit amerikanischem Akzent.

»Und Liz«, fügte ich hinzu. Liz wurde rot, sagte aber kein Wort. »So, freust du dich, dass bald alles vorbei ist?«, fragte ich, weil ich doch irgendwas sagen musste.

Er schaute sich um, kam näher und antwortete leise: »Ich kann's kaum erwarten – langweile mich zu Tode.«

»Ich glaube, der Geheimdienst wäre über deine Wortwahl nicht begeistert«, erwiderte Bex.

»Wahrscheinlich nicht.« Er lachte.

Es wurde immer später, die Stimmung im Saal veränderte sich, und die Landkarte an der Wand wurde weiter in rote und blaue Flächen aufgeteilt.

»Hey«, sagte Preston und sah mich an. »Kann ich kurz mit dir reden?«

Ich streifte Bex und Liz mit einem Blick. Sie nickten, also ging ich mit dem zukünftigen *First Son* in eine ruhige Ecke. »Ich muss zugeben, ich klinge total wie ein Mädchen.« Für eine Sekunde vergaß ich meine Ängste und lachte. »Und ich mein's wirklich ehrlich«, fuhr der Junge, der vor mir stand, fort. »Also ist es doch was wert, oder?«

»Genau«, meinte ich, verbiss mir aber diesmal das Lachen.

»Ich muss dich einfach fragen … Spricht Macey manchmal von mir?«

Trotz meiner außergewöhnlichen Ausbildung hatte ich keinen Schimmer, wie ich seine Frage beantworten sollte. Vielleicht lag es daran, dass wir über ein Jahr lang versucht hatten, Jungs zu begreifen, mir dabei aber nie der Gedanke kam, dass wir vielleicht genauso verschlüsselt für sie waren wie sie für uns. Es lag allerdings eher daran, dass mir einfach keine Antwort einfiel.

»Sie redet nicht viel über das alles hier«, gab ich schließlich zu und zeigte auf die Party, ihre andere Welt. »Das ist nicht wirklich … *sie*, weißt du?«

Preston lächelte. Er wusste Bescheid. Und in diesem Moment wurde mir klar, dass das hier alles auch nicht *er* war.

»Denkst du manchmal an Boston, Cammie?«, fragte er, aber ich kam nicht dazu, einzugestehen, dass ich tatsächlich an Boston dachte, und zwar viel zu oft. »Ich schon«, sagte er und lächelte. »Sie ist echt was Besonderes, oder?«

»Ja«, sagte ich. »Echt.«

Er schaute mich an, wie ich vielleicht nur ein- oder zweimal im Leben angeschaut worden war, und ich spürte das leichte innere Beben, das auftaucht, wenn man richtig wahrgenommen wird. »Und nicht nur sie.«

»Preston –«, fing ich an, aber der möglicherweise zukünftige *First Son* schüttelte den Kopf.

»Egal, was für Geheimnisse ihr habt, du und Macey – ich will sie nicht wissen.« Er machte ein paar Schritte, blieb dann aber wieder stehen und kam näher. »Sag mir nur eins: Hat es was mit Push-ups zu tun?« Er schloss die Augen und machte ein richtig doofes Gesicht. »Ich glaube, es hat was mit Push-ups zu tun!«

»Preston!«, schimpfte ich und boxte ihn leicht auf den Arm.

Ich sah Macey auf Bex und Liz zugehen, und bevor ich noch irgendetwas hinzufügen konnte, marschierte Preston schnurstracks in die gleiche Richtung.

»Mann, Preston!« Macey rollte mit den Augen. »Hast du keine –«

»Macey«, fiel Preston ihr ins Wort, »ich bin gekommen, um dir zu sagen: Wenn unsere Väter gewinnen, werden wir uns öfter sehen.« Macey öffnete den Mund, wie wenn sie protestieren wollte, doch Preston gab ihr keine Chance. »Und wenn sie verlieren … sollten wir uns trotzdem öfter sehen. Jetzt weißt du Bescheid«, beendete er seine Rede mit einem Achselzucken. »Das ist alles. Viel Spaß bei der Party, meine Damen!«

Damit verzog er sich, und Liz, Bex, Macey und ich konnten ihm nur hinterherstarren.

»Fandet ihr ihn …«, begann Macey, überließ es aber Bex und Liz, den Satz zu beenden.

»Heiß?«, kam es wie aus einem Mund.

Macey nickte, als ob es okay wäre, das zuzugeben, oder weil es vielleicht – nur vielleicht – doch *einen* Vorteil hätte, die Tochter des Vizepräsidenten zu sein. Dann veränderte sich ihre Miene, und ihre Augen funkelten. »Und wenn wir gerade von *heiß* sprechen … Was gibt's Neues über Zach?«

Ich dachte an Preston, der gerade etwas sehr Mutiges getan hatte, und da wurde mir klar, dass es tatsächlich Mut verlangt, jemanden zu lieben. Es verlangt Stärke. Aber ich war nie mutig gewesen, wenn es um Zach ging. Ich hatte keine Chance genutzt oder gesagt, was ich sagen wollte. Mir fiel ein, wie er mich beim Football-Spiel angesehen hatte, und plötzlich schien alles zu spät zu sein.

»Ich glaube nicht, dass er mich noch mag. Vielleicht hat er mich nie gemocht. Vielleicht mochte er nur … eine *Herausforderung*?«

Macey hob die Schultern. »Das kommt vor.«

»Nein, Cam!«, protestierte Liz. »Vielleicht ist er nur …« Sie brach ab, denn dieser Satz konnte nur schlecht enden.

»Jetzt hast du die Chance, es herauszufinden«, sagte Macey und zeigte mit dem Finger über die Menge auf einen Jungen, der in der Mitte war. Er hatte die Hände in den Hosentaschen, ließ die Schultern hängen und sah aus wie der harmloseste Typ auf der ganzen Welt.

»Wie ich gehört habe, schwänzt jemand die Schule«, meinte Zach. Er lächelte. So, wie er dastand, fühlte es sich an, als wäre nie etwas Schlimmes passiert – als würde nie mehr etwas Schlimmes passieren.

»In meinem Leben gibt es einen Jungen«, sagte ich, »der einen sehr schlechten Einfluss auf mich hat.«

Zach nickte. »Schlechte Typen machen so was. Aber sie sind es wert.«

Im Ballsaal war es zu heiß und zu voll. Mir wurde ein bisschen schwindlig, als Zach sich zu mir beugte und leise fragte: »Kann ich mit dir reden?«

Sobald ich seine Hand in meiner spürte, vergaß ich die Worte meiner Mutter. Ich dachte nicht an mein Versprechen. Ich wollte an einem ruhigen, kühlen Ort sein. Und vor allem wollte ich Antworten haben. Deshalb ließ ich mich von Zach durch einen Seiteneingang aus dem Gebäude auf eine Straße führen, die wegen der Absperrungen des Geheimdienstes und der Washingtoner Polizei zu einer schmalen Gasse geworden war.

Ich zitterte, schlang die Arme um mich und wünschte, ich hätte einen Wintermantel mitgebracht. Plötzlich schien es für den ersten Dienstag im November viel zu kalt zu sein.

Jemand hatte eine Tür geöffnet und festgekeilt. Die Band hatte aufgehört zu spielen. Die Ergebnisse eines anderen Staates wurden jetzt wohl bekannt gegeben, denn ein Stöhnen tönte durch die Nacht, aber ich achtete nicht darauf. Nicht mehr.

Weil es dunkel war.

Und mir kalt war.

Und weil Zach seine Jacke auszog und sie mir über die Schultern legte, was (laut Liz, die es sich von Macey bestätigen ließ) das Allercoolste ist, was ein Typ überhaupt tun kann.

Seine Hände blieben eine Sekunde länger als nötig auf mir. Die Jacke war warm und roch nach ihm. Der Wind blies jetzt stärker, erfasste Konfetti und wirbelte es wie einen patriotischen Schneesturm durch die Luft.

Das war der Moment, in dem alles perfekt sein sollte.

Schließlich: Echt süßer Typ? Abgehakt. Spannende, romantische Szene? Abgehakt. Große Nähe ohne elterliche Aufsicht? Doppelter Haken.

Aber nichts an Zach deutet auf einen normalen Jungen hin – wie an mir nichts auf ein normales Mädchen hindeutet. Ich sah ihn an und fragte: »Warum warst du in Boston?«

Zach trat einen Schritt zurück. Er schüttelte den Kopf, schaute zu Boden und murmelte: »Es gibt Dinge, die ich dir nicht erklären kann, Gallagher Girl.«

»Nicht erklären kannst?«, fragte ich. »Oder nicht *willst*?«

Aber Zach gab mir keine Antwort. Es wirkte, als wollte er sagen: *Ist doch egal.*

»Erklär sie mir!«, wisperte ich und versuchte, nicht daran zu denken, dass Zach nicht mehr hinter mir her war. Stattdessen starrte er mich von oben herab an, und zum ersten Mal fiel mir auf, dass er gewachsen war, dass er größer und stärker und überhaupt nicht mehr der Junge war, der mich im letzten Frühling geküsst hatte.

»Es gibt Dinge, die du gar nicht wissen willst.«

Ich weiß, es klingt verrückt, aber ich glaubte ihm. Schließlich hatte ich mein ganzes Leben damit verbracht, alles wissen zu müssen, und jetzt war ich bereit, Zach beim Wort zu nehmen. Ich *wollte* ihm glauben.

Aus dem Augenwinkel nahm ich wahr, wie meine Freundinnen das Hotel verließen und auf die Straße traten. Ich hörte Macey »Cam!« rufen. Aber Zach und ich schauten uns tief in die Augen. Geheimnisse und Konfetti schwirrten in der Luft um uns herum, bis plötzlich alles dunkel und langsam wurde.

Bis die Möglichkeit, nichts zu wissen, auf ewig für mich gestorben war.

Bis ich das Auto sah.

Kapitel Siebenundzwanzig

Es dauerte nur ein paar Minuten. Das hat man mir gesagt. Ich habe das Überwachungsvideo gesehen, jedenfalls das wenige Material, was es dazu gibt. Bei einem bin ich mir aber ganz sicher: Wir standen im Schatten der Straßenlaternen, und in der nächsten Sekunde war alles schwarz. Drei Wohnblocks waren stockfinster, und nur noch das Washington Monument war im Nebel erleuchtet.

»Macey!«, brüllte ich. Mein Herz wusste besser als mein Verstand, dass irgendetwas total falsch war.

Ich rannte los, die Straße entlang, weg von Zach und auf meine Freundin zu. Im selben Augenblick durchbohrten Scheinwerfer die Dunkelheit und die Absperrungen wurden von einem Van durchbrochen, der so schnell über die leere Straße schleuderte, dass ich unwillkürlich stehen blieb und hinstarrte.

Macey. Macey war mir entgegengelaufen, weg von Bex und Liz. Jetzt stand sie da, allein im grellen Licht der Scheinwerfer, zwanzig Meter von jeglicher Hilfe entfernt.

»Renn!«, schrie ich und stürmte auf sie zu, aber es war schon zu spät. Das Auto war zu nah. Die Seitentür schob sich zur Seite. Maskierte Gestalten beugten sich heraus. Alles schien wie in Zeitlupe abzulaufen, sodass mir unklar war, ob sie mein Schrei überhaupt erreichte, während Macey ganz entgeistert im blendenden Licht verharrte.

Und zusah, wie der Wagen an ihr vorüberfuhr.

Manchmal gibt es einen Test in der GehOp-Stunde, bei dem Mr Solomon uns gleichzeitig vier oder fünf verschiedene Fragen stellt – bei einigen muss man etwas verarbeiten, bei anderen muss man sich erinnern, unsere Instinkte werden geprüft und unsere Geschicklichkeit wird unter die Lupe genommen. Genau so kam mir das Ganze in diesem Moment vor. Ich weiß, es klingt verrückt. Ich weiß, ihr glaubt mir nicht. Aber es war wirklich wie einer von diesen Tests, als ich im Licht des Washington Monument stand und mir alles über diesen Van einprägte. Ich merkte mir die Marke der Armbanduhr, die der Fahrer trug, und überlegte, ob der Mann, der aus der Seitentür sprang, mich wohl zuerst mit der rechten oder mit der linken Hand schlagen würde. Ich dachte an Boston und hörte noch einmal die Worte: »Schnappt sie!«, wobei mir klar wurde, dass Macey damals nicht das einzige Gallagher Girl auf dem Dach gewesen war.

Und ich wusste, dass niemals etwas so ist, wie es scheint.

Reifen quietschten auf dem Asphalt, während der Wagen an mir vorbeischlitterte, sich um neunzig Grad drehte und den Weg versperrte, aus dem ich gekommen war.

»Cammie!« Zachs Schrei klang wie aus weiter Ferne, verloren hinter dem Berg aus Stahl und Gummi.

Auf der rechten Seite sah ich, dass meine Freundinnen angelaufen kamen, aber die Welt drehte sich im Zeitlupentempo. Jede Hilfe schien Lichtjahre entfernt zu sein, als ein großer Mann hinten aus dem Wagen sprang. Aber er war zu groß – zu langsam. Ich wich seinen Schlägen aus und hakte meinen Fuß um seine Kniekehle, während ich ihn zurückstieß und er stolperte. Gleichzeitig nagelte ich einen zweiten Mann für den Bruchteil einer Sekunde an die Tür des Vans und rannte los.

»Cammie!« Bex' Stimme hallte durch die Nacht.

»Macey!«, schrie ich als Antwort. »Rettet Macey!«

Aber Macey brauchte nicht gerettet zu werden. Jetzt weiß ich, dass das Problem ein ganz anderes war.

Ich hatte keine Ahnung, was vor sich ging. Ich wusste nicht, wo Zach war. Ich wusste nur, dass ich laufen musste – schneller und schneller, bis kräftige Arme sich um meine Taille schlangen. Bevor meine Füße den Boden verloren, hatte ich einen Stofffetzen über dem Mund – ein ekliger Geruch. Ich versuchte, nicht zu atmen, während ich mit den Armen ruderte und sich die Welt zu drehen begann.

Und dann fiel ich.

Ich erinnere mich, dass ich fiel.

Im unheimlichen Licht der Scheinwerfer suchte ich Zach, aber die Gestalten am Auto waren verschwommen. Das Straßenpflaster schoss mir entgegen – zu schnell und zu heftig.

Mein Kopf war brennend heiß. Mein Körper wurde unter dem Gewicht meines Angreifers zerquetscht. Jemand oder irgendwas musste uns beide zu Boden gerammt haben. Der Lappen war weg, und der Nebel teilte sich gerade so weit, dass ich sah, wie meine Freundinnen mit zwei Männern kämpften, die doppelt so groß waren wie sie. Liz klammerte sich an den Rücken des Riesen, während Bex seine Schläge abwehrte. Macey kämpfte mit dem zweiten Mann, und ich wollte ihr zurufen, sie solle weglaufen, aber mein Schädel hämmerte, als gäbe es zu viele Fakten – zu viele Fragen –, mit denen mein Hirn nicht fertigwurde, und die Worte kamen einfach nicht raus.

Dann war das Schwergewicht auf einmal weg. Reine Luft strömte in meine Lunge. Aber bevor ich aufstehen konnte, lag das Tuch wieder auf meinem Gesicht. Die Arme packten mich noch fester, und die Wolke über meinen Augen wurde dichter. Also raffte ich meine allerletzte Kraft zusammen und stieß mit dem Kopf gegen den Schädel meines Angreifers.

Ich hörte es knacken, und während ich mich aufrappelte, spürte ich, wie das Blut aus einer gebrochenen Nase auf mich heruntertropfte. Aber die Welt drehte sich immer noch viel zu schnell und meine Beine waren zu schwer. Die Arme fanden mich wieder. Ich spürte, dass sich der Wagen näherte, als meine Fersen auf dem Pflaster schleiften. Ich suchte die verschwommene Finsternis mit den Augen nach Hilfe und nach Hoffnung ab. Dann sah ich Macey.

Sie lief auf mich zu. So stark. So schnell. So schön.

»Sie ist in Sicherheit«, wisperte ich, aber keiner hörte meine Worte – meine Lüge.

Ich merkte zu spät, dass die Bewegung stoppte. Ich spürte, wie meine rechte Seite sank, aber ich kämpfte nicht mehr dagegen an. Stattdessen sah ich, dass meine Freundin noch schneller rannte. Ich hörte, dass sie meinen Namen noch lauter rief, aber nur ein Gedanke hielt sich in meinem verwirrten Kopf – das Mädchen am See konnte es mit dem Mädchen vor mir nicht aufnehmen.

»Nein!« Ich vernahm das Wort, wusste aber nicht, dass ich geschrien hatte. Ich sah den Blitz, hörte den Knall, entdeckte aber keine Pistole.

Ich sprang vor, kam aber zu spät. Nicht einmal die Gallagher Akademie kann jemandem beibringen, die Zeit anzuhalten.

Schreie durchdrangen die Nacht. Panik breitete sich aus, als der Schuss durch die dunkle Straße knallte. Plötzlich wusste ich, dass die Stimme, die ich gehört hatte, nicht meine war. Jemand anderes schrie. Jemand anderes rannte durch die Finsternis. Jemand anderes sprang vor Macey durch die Luft und landete zu hart auf dem schwarzen Asphalt.

Die Hand mit der Pistole versuchte mich zurückzuziehen, aber ich wirbelte herum und trat um mich, hörte etwas unangenehm knarren und sah zu, wie die maskierte Gestalt zu Boden sackte.

Ich machte einen Schritt, aber mir versagten die Beine. Ich fiel zu Boden und versuchte, wegzukriechen, aber es gelang mir nicht. Vielleicht war es das Betäubungsmittel im Tuch, vielleicht war es der Schlag auf meinen Kopf, oder es war der Anblick meiner Mitbewohnerin, die vor dem leblosen Körper meiner Tante schrie – aus irgendeinem Grund vergaßen meine Arme, wie sie sich zu bewegen hatten.

»Holt sie hier raus!« Wie aus dem Nichts tauchte plötzlich Mr Solomon auf.

»Schnell!« Die Stimme meiner Mutter klang wie ein Echo im Wind.

Eine Hand packte wieder meinen Arm, aber dieses Mal schlug ich noch wütender zu als zuvor, kam auf die Knie, stand auf, wirbelte herum, trat um mich und brüllte: »Holt …«

Es waren die Augen, die meinen Schrei unterbrachen, die

Hände, die sich mir plötzlich entgegenstreckten. Und die Worte: »*Gallagher Girl.*«

Ich wollte zu Boden sinken und mich ausruhen. Schlafen. Aber Zachs Hand fand wieder meine. Er zog mich auf die Füße, während mein Kopf sich drehte, mein Hals brannte und die Welt um mich herum zerbrach.

»Lauf!«, sagte er und zerrte mich in die Richtung, aus der wir gekommen waren – nach Norden, dem Hoteleingang entgegen. Weg vom Auto. Weg vom Kampf. Weg vom Schuss, der immer noch in den dunkelsten Winkeln meines Kopfes widerhallte.

In der Ferne heulte eine Sirene. Jemand schrie: »Geheimdienst der Vereinigten Staaten!« Und fünfzehn Meter weiter lag meine Tante auf der Erde. Regungslos.

Macey beugte sich über sie. Zachs Jacke war mir von den Schultern gerutscht und Macey drückte sie auf die Wunde in Tante Abbys Brust und versuchte, das Blut zu stoppen, das auf das Straßenpflaster floss und alles färbte, was es berührte.

»Tante Abby«, flüsterte ich, aber Zach ließ nicht zu, dass ich mich losriss.

Ich hörte, wie der Motor des Wagens startete. Geheimdienstagenten brüllten. Wieder Schüsse. Und immer noch hielt Zach mich fest. Ich stieß an seine Schulter, schaute mich um und sah den Mann, der zwischen uns und der Tür stand.

Ich sah die Pistole. Ich spürte das Auto, das vorwärts raste, nur Sekunden von uns entfernt. Aber nichts war in dieser Nacht lauter als das Staunen des maskierten Mannes, in dem Moment, in dem er den Jungen bemerkte, der neben mir stand. »Du?«, fragte er leise.

Es gibt Theorien über das, was als Nächstes passierte, aber keine Gründe dafür. Kein *Warum*. Vielleicht waren es die Sirenen oder der Geheimdienst, aber der Mann rannte, anstatt zu kämpfen. Er floh in die Dunkelheit, während meine Mutter meinen Namen rief, aber ihre Stimme war zu hoch. Und ihr Schwung war zu kraftvoll, als sie ihren Körper gegen meinen schleuderte und mich tief ins Dunkle schob.

Eine Mauer aus Körpern umringte mich – Leute vom Geheimdienst, Polizisten, die Frauen, die uns vom Auto zum Hotel begleitet hatten. Die Frauen, die mich bedient hatten.

Ich versuchte, aufzustehen, aber starke Hände drückten mich runter, zurück ans Gebäude, sicher zwischen den Mauern meiner Schwesternschaft, die irgendwie aus Roseville hierher transportiert worden waren und mich beschützten.

»Tante Abby!«, schrie ich, als eine der Frauen ein wenig zur Seite rückte. Ich konnte durch ihre Beine auf die Stelle schauen, wo meine Tante reglos am Boden lag, wo Blut ihre Bluse durchnässte. »Tante Abby!«, brüllte ich wieder.

Meine Erinnerung raste zurück nach Philadelphia. Ich sah einen Engel, der einen gefallenen Soldaten in den Armen hielt und mit ihm aus den Feuern des Krieges flog. »Nein!« Ich begann, wie ein Kind zu krabbeln, schwach und hilflos, und dachte an meinen Vater, der auf eine Art gestorben war, die ich nie erfahren würde, an einem Ort, den ich niemals kennenlernen würde, und fragte mich in diesem schrecklichen Augenblick, was schlimmer war – nichts zu wissen oder mit eigenen Augen mit ansehen zu müssen, wie das Leben eines geliebten Menschen aus seinem Körper sickert.

Meine Mutter brüllte. Sie sank neben Abby auf die Knie. Deshalb kämpfte ich noch heftiger.

»Haltet sie unten!« Es war die Stimme von Mr Solomon. Noch nie hatte ich ihn in einem solchen Ton sprechen hören, und ich hoffte, ihn nie wieder hören zu müssen. »Sie könnten zurückkommen!« Der Kreis schloss sich enger um mich. »Sie werden immer wieder kommen, bis sie sie schnappen.«

Sie schnappen.

Ich hörte auf zu kämpfen und sackte gegen die Wand, während die Sirenen heulten, mich Benommenheit überwältigte und die Worte durch die Nacht gellten.

Mich schnappen.

Kapitel Achtundzwanzig

23 Uhr

»Sie ist hysterisch!«, sagte einer der Sanitäter. Die Lichter und Sirenen waren zu viel für mich. Ich schrie. Ich kämpfte. Ich wollte gehört werden.

»Geben Sie ihr was!«, befahl eine Frau.

»Aber –«

»Ich bin ihre Mutter! Bitte!«

02 Uhr

»Die Ärzte geben keine Auskunft über den Zustand der Geheimagentin, auf die gestern Abend – wie berichtet – aus einem vorbeifahrenden Auto im Zentrum von Washington geschossen wurde. Die Agentin war für Macey McHenrys Personenschutz zuständig, aber Berichten zufolge wird Miss McHenry aufgrund der Wahlergebnisse der vergangenen Nacht zukünftig den Schutz des Geheimdienstes nicht mehr benötigen. Das

Leben kann und wird sich für Macey McHenry wieder normalisieren.«

Ich hörte, wie der Fernseher ausgeschaltet wurde.

Ich rührte mich, zwinkerte und erkannte das Zimmer, in dem ich mich befand – das Ledersofa, die Bücherregale. Aber die Medikamente waren zu stark. Oder ich war zu schwach.

Ich schlief wieder ein.

04 Uhr 45

»Ihr Mädchen solltet im Bett sein!«

»Nein, danke, Mrs Cunningham«, sagte Bex.

»Rebecca, Ihre Eltern haben mich ganz persönlich gebeten, auf Sie aufzupassen, und ich möchte, dass Sie jetzt ins Bett gehen.«

»Mir geht es gut da, wo ich bin, Mrs Cunningham. Vielen Dank.«

»Ich hatte mir schon gedacht, dass Sie das sagen würden. Dann lassen Sie aber wenigstens Miss Sutton schlafen.«

05 Uhr 20

Ich wusste, ich war nicht allein. Bex' Geflüster war leise vor der Tür. Liz murmelte etwas im Halbschlaf. Dann huschte ein Schatten durch den Raum, und ich sah Mr Solomon im Mondlicht stehen und auf das Gelände blicken.

Aber es muss an den Medikamenten gelegen haben – ich muss noch geschlafen haben –, denn es schien, als ob seine Schultern zuckten. Ich hätte schwören können, dass er sich mit der Hand über das Gesicht wischte.

Es konnte nicht wahr sein.

Ich schlief.

Joe Solomon weinte nicht.

06 Uhr 25

»Cammie.« Die Stimme meiner Mutter klang hoch und kratzig, und ich wusste, dass sie geweint hatte. Ehrlich gesagt, das machte mir am meisten Angst. Ich dachte: *Vielleicht bin ich tot.* Ich fragte mich, ob ich im Sarg anstatt auf einem Ledersofa lag und nach oben schaute. Und dann fiel mir Tante Abby ein.

»Sie wurde operiert«, sagte meine Mutter und beantwortete meine Frage, die ich noch gar nicht gestellt hatte, als ob sie meine Gedanken las. »Sie hat die Operation gut überstanden.«

Ich richtete mich mühsam auf, und eine Decke fiel auf den Boden. Um meinen Kopf und einen Arm herum waren Verbände. Alles war mir so vertraut. Es konnte sich nur um einen miesen Traum handeln.

»Hast du geschlafen, mein Schatz?«

Ich dachte: *Das ist doch offensichtlich – totale Zeitverschwendung*. Aber alle guten Vernehmungsbeamten beginnen mit Dingen, die der Befragte mit Sicherheit weiß. Also nickte ich. Und meine Mutter sagte: »Gut.«

Sie saß vor mir auf dem Couchtisch, wo jeden Sonntagabend Platten mit Gemüse und Schüsseln mit irgendwelchen Dips standen. Aber an diesem Morgen saß sie nur da und hielt die Hände im Schoß gefaltet. Als Mutter oder Spionin? Ich war mir nicht sicher. Aber ich wusste, wen ich brauchte.

»Sag's mir!«, verlangte ich, und es war mir egal, wer mithörte. Egal, ob unsere Stimmen nach draußen drangen. Ich sah

Mr Solomon an ihrem Schreibtisch und wusste, warum er da war. »Fangt beide an zu reden!«, sagte ich, aber Mom beugte sich zu mir.

»Schätzchen, das ist nichts –«

»Ich hab das Recht, Bescheid zu wissen!«

Sie wurde strenger, immer noch mein Chef und nicht bereit, mich das vergessen zu lassen. »Cameron, es gibt eine Zeit und einen Ort für –«

»Sie waren *nicht* hinter Macey her«, stellte ich fest. »Sie waren *nie* hinter Macey her. Und ihr … habt es gewusst.«

»Cameron, das –« Aber Mom konnte den Satz nicht beenden, weil Mr Solomon sich auf einer Ecke ihres Schreibtisches niederließ, die Arme verschränkte und sagte: »Wir wussten nicht mehr als Sie, Miss Morgan. Lange nicht.«

»Aber …«, begann ich. Mir drehte sich der Kopf. »Philadelphia.« Ich dachte an die verschlossene Bürotür meiner Mutter am folgenden Tag und die plötzliche Angst meiner Tante im Zug. Mir lief es eiskalt über den Rücken. »Was hat Zach im Tunnel zu Ihnen gesagt, Mr Solomon?«

Mein Lehrer nickte. Er lächelte beinah. »Er hatte gehört, dass Macey nicht die Zielperson war. Das war schon lange eine Möglichkeit – das wussten wir. Aber Zach hatte Quellen –«

»Welche Quellen? Wer sind sie? Wo sind sie? Was –«

»Mehr erfahren Sie nicht, Cammie«, antwortete Mr Solomon, und ich hasste ihn ein bisschen. Aber dann zuckte er mit den Achseln. Er gab sich geschlagen. »Weil es so gut wie nichts weiter zu berichten gibt.«

Mr Solomon ist ein guter Lügner – der beste. Und dafür hasste ich ihn auch.

»Joe«, sagte meine Mutter ruhig, als ob ich nicht geschimpft hätte und nicht verletzt wäre. Als ob alles nicht plötzlich anders wäre. Und vorbei. »Kannst du uns kurz allein lassen?«

Einen Augenblick später hörte ich, wie die Tür geöffnet und geschlossen wurde. Ich wusste, dass wir jetzt unter uns waren.

»Schatz, bitte …« Sie konnte anscheinend nicht weiterreden, bis das Gallagher Girl in ihr die Mutter überstimmte und die Kraft zum Sprechen fand. »Es wird alles wieder okay sein, Cammie. Der Verwaltungsausschuss der Gallagher Akademie wurde benachrichtigt. Die Schule und die CIA stehen hinter uns. Alles wird für dich okay sein.«

Ich mag das Büro meiner Mutter. Es ist seit Jahren fast ein Zuhause für mich. Ich saß lange da und schaute die Bilder an, die früher in unserer Wohnung in Arlington auf der Kommode standen. Bevor meine Mutter Schulleiterin wurde. Bevor ich ein Gallagher Girl wurde. Bevor wir Dad verloren.

Bevor wir eine Menge Dinge verloren hatten.

»Und was passiert jetzt?« Ich hörte, dass mir die Stimme versagte, und merkte, dass ich fast weinte und Mom beinahe anflehte. Meine Wut war verschwunden, und ihrem Sog folgte eine Welle der Trauer und des Schreckens, die so mächtig war, dass ich kaum atmen konnte. Ich dachte an Tante Abby, die zu verbluten schien. Ich dachte an Macey und Preston. Und am Ende sah ich Zach, der sich über mich beugte, während mein Verstand durch eine Wäscherutsche wirbelte und im freien Fall, der nie zu enden schien, in die Tiefe stürzte. »Es ist nur … Mom … Warum?«

Meine Mutter hielt mich in den Armen. Meine Schulleiterin strich mir über die Haare. Und die beste Spionin, die ich kannte, sagte leise: »Wir finden es heraus. Ich verspreche es dir – wir finden es heraus.«

Kapitel Neunundzwanzig

Der Unterricht hätte zu Ende sein sollen, war es aber nicht. Die Abschlussprüfungen hätten vorbei sein sollen, würden aber erst Wochen später stattfinden. Trotzdem wusste jedes Mädchen an meiner Schule, dass meine Mitbewohnerinnen und ich bereits getestet worden waren. Ich dachte an Tante Abby und mir war klar, dass wir den Test mit Müh und Not bestanden hatten.

Es dauerte drei Wochen, bis es passierte, bis Mr Solomon an die Tür von Madame Dabneys Teezimmer klopfte und meine Freundinnen und mich nach unten rief.

Als wir unserem Lehrer durch den Flur folgten, durften meine Gedanken nicht abschweifen – ich kannte zu viele dunkle Orte, an die sie hätten fliegen können –, stattdessen konzentrierte ich mich auf meine Schritte, auf die Stufen und die Wände. Bis Mr Solomon die Tür zum Büro meiner Mutter öffnete.

Und jemand »Hey, Krümel!« sagte.

»Abby!«, riefen Bex und Liz gleichzeitig, liefen auf sie zu und umarmten sie.

»Mädchen!«, schrie meine Mutter, um sie daran zu erinnern, dass sie nicht wussten (vor allem Bex nicht), wie stark sie waren.

Meine Tante war blasser, als ich sie in Erinnerung hatte. Und dünner, fast zerbrechlich. Ihr rechter Arm lag in einer Schlinge. Aber ihre Augen waren noch die gleichen, und in die schaute ich, als ich näher trat.

»Wie geht es dir?«, fragte ich und fürchtete mich fast vor der Antwort.

Meine Tante lächelte. »Es könnte mir nicht besser gehen.« Ich überlegte, ob sie log – und ob ich als Agentin gut genug wäre, das herauszukriegen. »Anscheinend braucht die CIA jemanden mit einer frischen Schusswunde, um sich als Waffenhändler in ... na ja ... irgendwo auszugeben.« Sie schaute in den Himmel, schwang ihre Hüfte und streckte uns ihre Schlinge entgegen. »Ist das nicht eine super Tarnung?«

Erstaunlicherweise waren wir vier da ganz anderer Meinung.

»Müssen Sie wirklich gehen?« Liz warf einen Blick auf Tante Abbys Koffer. »Sie könnten doch hierbleiben, oder nicht? Könnten Sie nicht unterrichten?«

»Wahnsinn!«, rief Bex aus, aber Tante Abby schüttelte bereits den Kopf und hängte sich die Riemen ihrer Tasche über die heile Schulter. Trotzdem meinte Bex: »Oooh, Sie könnten zu Weihnachten mit mir nach Hause fliegen. Cam kommt auch mit. Meine Eltern würden sich freuen, Sie kennenzulernen.«

»Danke, Bex«, sagte Tante Abby, »aber ich fürchte, ich habe ... andere Dinge zu tun.«

Ungefähr zum millionsten Mal dachte ich an das, was hinter unseren Mauern geschah. Dann fiel mir ein, dass ich keine Fragen stellen sollte, die ich nicht beantwortet haben wollte.

»Also dann – bis später.« Tante Abby umarmte meine Mutter, die ihr etwas ins Ohr flüsterte.

Auf dem Weg zur Tür sah sie meine Mitbewohnerinnen und mich an. »Tut mir leid, ihr Lieben, ich halte nichts von Abschieden.«

Doch dann blieb sie stehen. Sie ließ ihre Tasche fallen und drehte sich um. »Ach, zum Kuckuck!«

Und ich muss ehrlich sagen, dass kein Spionage-Training auf der Welt mich auf das vorbereitet hätte, was ich anschließend zu sehen bekam: Meine Tante packte Mr Solomon am Hemd.

Und küsste ihn.

Auf den Mund.

Siebenundachtzig Sekunden lang.

Liz schnappte nach Luft. Bex stand mit herunterhängender Kinnlade da. Und ich – ich schaute nur meine Mutter an, die die beiden anstarrte und aussah, als könnte ihre Welt auf gar keinen Fall noch seltsamer werden.

Danach holte Tante Abby Luft (Mr Solomon tat so gut wie nichts, wie ich bemerkte). Meine Tante blickte ihre Schwester an, wackelte mit den Hüften und sagte: »Jemand *musste* es tun!«

Und dann ging sie weg.

Mom und Mr Solomon waren immer noch sprachlos nach allem, was gerade passiert war, aber Bex, Macey, Liz und ich rannten hinter Tante Abby her und beobachteten, wie die lebende Legende, die einen Namen mit mir teilt, den Geschichtssaal durchquerte, am Schwert vorbeikam, mit dem alles begonnen hatte, und schließlich die große Treppe hinunterging.

In dieser letzten Sekunde waren alle, die ich lieb hatte, in Sicherheit.

»Sei nicht wieder ein Gespenst!« Meine Stimme hallte durch das leere Foyer. »Tu, was du nicht lassen kannst, aber sei bitte kein Gespenst, okay?«

Tante Abby drehte sich zu mir um. Sie zog eine Jacke aus der Tasche, die über ihrer Schulter hing. »Hier – ich glaube, jemand hat das für dich zurückgelassen.«

Ich schaute nicht nach einem Blutfleck meiner Tante auf dem Stoff. Ich wollte jene Nacht vergessen. Stattdessen nahm ich Zachs Jacke einfach entgegen und versuchte daran zu denken, warum er sie mir gegeben hatte.

»Abby!« Es war Maceys Stimme, und ihrem Gesicht war abzulesen, dass sie genauso schockiert war wie alle, die ihr zuhörten. »Ich hab nicht gesagt … Sie müssen wissen … Also, was ich sagen will …«

Tante Abby blieb stehen. Ihre heile Hand lag auf dem glatten Geländer. Die Haare fielen ihr über eine Schulter, sie lächelte, setzte ihre Sonnenbrille auf und sagte: »Ich hab dir doch versprochen, eine Kugel für dich abzufangen.«

Und dann verließ sie uns.

Ich stand noch lange da und schaute ihr nach, denn etwas anderes blieb nicht zu tun.

Bex und Macey gingen zum Mittagessen in den großen Saal. Liz war auf dem Weg in die Bibliothek. Ich war allein und sagte mir, dass meine Tante irgendwann wiederkäme – dass die Welt sie außerhalb der Schulmauern brauchte, ich dagegen dahinter benötigt wurde.

Dass ich inzwischen nur abwarten konnte.

»Siebte Klasse!« Die Stimme von Mrs Buckingham hallte durch das Foyer, als ihr die neuesten Gallagher Girls aus dem großen Saal folgten. »Wir gehen als Gruppe ins Labor, wo Sie geprüft werden. Treten Sie nicht ein, bevor ich Ihnen nicht –« Plötzlich blieb sie stehen und rief den Mädchen, die das Rudel anführten, etwas zu. »Emily Sampson! Das hab ich gesehen!«

Ob ich tatsächlich auch einmal so jung gewesen war? Man sah ihnen an, wie naiv sie waren, und mir war klar, dass ich es nie mehr sein würde. Ich hatte zu viel gesehen – ich wusste zu wenig. Und aus irgendwelchen Gründen, die ich nicht kannte, rannte ich hinter den Mädchen her.

»Mrs Buckingham!«, rief ich und näherte mich der Frau, die das älteste Mitglied der Lehrerschaft der Gallagher Akademie war und sich seit der siebten Klasse nicht verändert hatte.

»Ja, Cameron?« In diesem Moment schien sie fern jeglicher Zeit zu sein. Als ob irgendein sagenhafter Meisterspion des zwanzigsten Jahrhunderts sie aus Stein gemeißelt hätte.

»Ich hab eine Frage … zur Geschichte.«

»*Die Geschichte der Spionage* ist ein Kurs, der im Frühjahrssemester angeboten wird, Cameron. Das sollten Sie eigentlich wissen.« Sie begleitete eine Siebtklässlerin den Flur entlang. »Wie Sie sehen, bin ich im Augenblick sehr damit beschäftigt, unseren neuen Schülerinnen bei der Eingewöhnung zu helfen. Sissy!«, schrie Mrs Buckingham und schob das Mädchen weiter, während der Wind draußen noch lauter heulte.

»Ja, Madam«, sagte ich. »Das kann ich sehen. Ich hab mir nur Gedanken gemacht … wegen des Cavan-Zirkels.« Als sie sich umdrehte, bohrten sich ihre blauen Augen in meine.

»Ich muss wissen …«, rief ich ihr nach. Meine Stimme versagte fast vor Angst. »Ich muss bereit sein.«

»Tut mir leid, Cameron. Es ist nichts … Es tut mir leid.« Sie schritt weiter. Die Stimmen der Siebtklässler verhallten, als sie um die Ecke bogen.

Ich drehte mich um und starrte aus dem Fenster. Ich beobachtete die ersten Schneeflocken des Winters, die über das Gelände huschten. In ein paar Stunden würde alles weiß sein, als würde sich auch die Erde tarnen.

»Vielleicht im Frühjahr.« Mrs Buckinghams Stimme tönte durch den Korridor und jagte mich wie ein kräftiger Wind. Ich sah sie an. »Ja«, sagte sie, und für den Bruchteil einer Sekunde – nicht länger – glich sie einer alten Frau. Der Korridor fühlte sich an wie die Zeit, und Mrs Buckingham und ich standen an gegenüberliegenden Enden. Sie schaute zurück auf alles, was sie gesehen hatte, und ich fragte mich, was noch vor mir lag.

Dann nickte sie noch einmal und sagte leise: »Im Frühjahr.«

Ich schaute ihr nach, wie sie im langen Flur verschwand, während der Himmel grau und die Erde weiß wurden und der Winter sich bei uns niederließ.

Zachs Jacke hing über meinem Arm, also legte ich sie mir um die Schultern. Sie war schwer und warm, und die Kälte schien jetzt nicht mehr so nah zu sein. Als ich meine Hände in die Taschen steckte, spürte ich etwas zwischen den Fingern. Ich zog ein kleines Stück Evapopapier heraus und betrachtete die Handschrift, die ich schon zweimal gesehen hatte:

Viel spaß in London
Z

Trotz allem musste ich lächeln. Ich schaute den Zettel an und wusste, dass wie immer der Frühling käme. Also starrte ich aus dem kalten Fenster, beobachtete, wie sich mein Atem auf der Scheibe sammelte, und versuchte, nicht an mein Leben nach dem Tauwetter zu denken.

VOR- UND NACHTEILE BEIM SCHREIBEN DER SERIE ÜBER DIE GALLAGHER GIRLS: EINE LISTE VON ALLY CARTER

VORTEIL: Man hat die tollsten Leserinnen und Leser der Welt.

NACHTEIL: Leider benötigt das Schreiben von Büchern, die diesen Leserinnen und Lesern gerecht werden sollen, viel Zeit. Ich bin allen, die geduldig gewartet haben, unglaublich dankbar.

VORTEIL: Mit all den talentierten Leuten von Disney Hyperion Books zusammenarbeiten zu dürfen, ist ein riesiges Glück. Ich schulde jedem dort so viel, vor allem der wunderbaren Jennifer Besser, die mich aufgenommen hat, als ich kein Zuhause hatte. Jen, das Beste kommt noch!

NACHTEIL: Schreiben ist ein einsames Geschäft. Ich weiß nicht, wie ich es ohne die Unterstützung und Ermutigung von Autoren wie Maggie Marr und Jennifer Lynn Barnes schaffen würde, die dieses Buch in seiner frühesten und gröbsten Form gelesen haben. Und natürlich die BOBs.

VORTEIL: Man bekommt Kristin Nelson als Agentin.

NACHTEIL: Es ist schwierig, alle Orte zu besuchen, an denen sich die Gallagher Girls aufhalten müssen. Deshalb entschuldige ich mich von ganzem Herzen bei den Leuten in Boston, Cleveland und Philadelphia für die Freiheiten, die ich mir genommen habe, als ich ihre schönen Städte beschrieb.

VORTEIL: Es ist so viel einfacher, über liebende Eltern und treue Schwestern zu schreiben, wenn man lebende Beispiele hat, von denen man sich inspirieren lässt. Darum danke ich vor allem meiner Familie.

Von Ally Carter ebenfalls bei Planet Girl erschienen:
Gallagher Girls – Spione küsst man nicht
Gallagher Girls – Mädchen sind die besseren Spione

Carter, Ally:
Gallagher Girls – Auch Spione brauchen Glück
ISBN 978 3 522 50333 4

Aus dem Amerikanischen übersetzt von Gerda Bean

Einbandgestaltung und -typografie: Zero Werbeagentur, München
unter Verwendung eines Fotos © Ali Smith
Innentypografie: Bettina Wahl
Schrift: ITC Giovanni Book, Waterfalls
Satz: KCS GmbH, Buchholz/Hamburg
Reproduktion: HKS-Artmedia
Druck und Bindung: Friedrich Pustet, Regensburg
Die amerikanische Originalausgabe erschien 2009 unter dem Titel
Don't judge a girl by her cover bei Hyperion Books for Children, New York

5 4 3 2 1°   14 15 16 17

www.planet-girl-verlag.de